L'encyclopédie du bricolage
BLACK&DECKER®

D0178423

Menuiserie
Outils - Étagères - Murs - Portes

Broquet

151-A, boul. de Mortagne, Boucherville, Qc, J4B 6G4
Tél. : (450) 449-5531 / Fax : (450) 449-5532
Internet : http://www.broquet.qc.ca
Courriel : info@broquet.qc.ca

Contenu

Données de catalogage avant publication (Canada)

Vedette principale au titre :

  Menuiserie : outils, étagères

  (L'encyclopédie du bricolage)
  Traduction de : Carpentry : remodeling : framing &
installing doors & windows : removing & building walls.
  Comprend un index.

  ISBN 2-89000-521-6

  1. Menuiserie - Manuels d'amateurs. 2. Habitations -
Réfection - Manuels d'amateurs. I. Black & Decker
Corporation (Towson, Mar.). II. Collection : Encyclopédie
du bricolage (Boucherville, Québec).

TH5607.C3514 2001   694'.6   C00-942309-5

© Creative Publishing International, Inc. 1989
all rights reserved
Cette édition en langue francaise est publiée par
©Broquet Inc. avec l'assistance de Jo Dupre BVBA
Copyright © Ottawa 2001
Dépôt légal — Bibliothèque nationale du Québec
2e trimestre 2001

ISBN 2-89000-521-6

Révision: Andrée Lavoie
Infographie: Antoine Broquet, Brigit Lévesque
Éditeurs: Antoine Broquet, Marcel Broquet

Pour l'aide à la réalisation de son programme éditorial, l'éditeur remercie:
Le Gouvernement du Canada par l'entremise du Programme d'Aide au
    Développement de l'industrie de l'Édition (PADIÉ);
La Société de Développement des Entreprises Culturelles (SODEC);
L'Association pour l'Exportation du Livre Canadien (AELC).

Avant-propos

Une bonne compréhension de la menuiserie est un outil indispensable à sa maîtrise et elle vous permettra d'effectuer des rénovations et des réparations dans toute la maison. En plus d'être récompensé de vos efforts, vous réaliserez des économies substantielles.

Ce volume s'adresse principalement aux propriétaires qui désirent connaître davantage la menuiserie. Illustré de nombreuses photographies couleurs, écrit dans un langage clair et un vocabulaire accessible, ce livre vous guide, étape par étape, dans la réalisation des réparations courantes et des différents projets de rénovation. Il vous présente également les outils indispensables à leur réalisation. En outre, pour vous aider à compléter vos projets avec précision et sécurité, des spécialistes de l'industrie vous offrent leurs trucs du métier.

Cet ouvrage vous aidera à bien garnir votre coffre d'outils de menuiserie. La plupart sont des outils de base et, grâce à eux, vous pourrez mesurer, couper, percer, démonter, adoucir et façonner différents matériaux. En plus de vous conseiller sur le choix, l'achat et le maniement des outils, vous trouverez une foule de renseignements sur le bois et les différents types de panneaux, ainsi que de nombreux conseils sur l'utilisation d'autres matériaux de construction propres aux travaux de bricolage.

Les clous, les vis et les adhésifs vous deviendront familiers. Vous saurez également organiser votre atelier, travailler sur un établi et des chevalets solides. Un plan de travail détaillé vous indique également comment réaliser vos projets.

Avis aux lecteurs

Ce livre offre une foule d'informations pratiques, mais nous ne pouvons présumer de toutes les conditions de travail et des caractéristiques de vos matériaux ou de vos outils. Votre jugement et votre souci de la sécurité vous permettront d'adapter les différentes techniques à vos besoins. Tenez compte de vos capacités ainsi que des indications et conseils sécuritaires associés aux différents matériaux et outils illustrés dans ce livre. Ni l'éditeur, ni Black & Decker^{MC} n'assument la responsabilité des dommages matériels ou corporels pouvant découler de l'utilisation inadéquate des renseignements fournis dans ce volume.

Les renseignements contenus dans ce livre sont conformes aux différents codes régissant la construction au moment de sa publication, consultez le Service du bâtiment de votre localité pour tout ce qui concerne les permis de construction, les codes et les règlements afférents à votre projet.

Outils et matériaux

Équerre de charpente

Serre en C

Marteau à panne fendue de 16 onces

Tournevis Philips

Tournevis droit

Cordeau de crai

Chasse-clous

Maillet

Bloc à poncer

Niveau à bulle

Détecteur électronique de montants

Perceuse électrique de 3/8"

Ciseau

Couteau

Mèches

Couteau à mur

Fausse équerre

Tournevis sans fil

Équerre à combinaison

Ruban à mesurer de 12'

Wonderbar®

Pied de biche

Scie à tronçonner

Scie à panneaux muraux

Le coffre de base devrait comporter de nombreux outils manuels, en plus d'une perceuse électrique de 3/8" et d'un tournevis sans fil. Les outils de qualité sont fabriqués d'acier au carbone et leur surface est polie. Les poignées doivent être solides et confortables.

Le coffre à outils

Un ensemble d'outils de qualité n'exige pas un investissement initial trop important. Le bricoleur peut monter son coffre en achetant les outils au rythme de ses projets de rénovation. Il est toujours avantageux d'acheter des outils de bonne qualité, fabriqués par une maison reconnue. De plus, ces outils comportent une garantie complète sur les pièces et la main-d'oeuvre.

Lisez attentivement les informations pour comparer la force du moteur, sa vitesse et sa capacité de coupe. Les outils de qualité ont des roulements à billes, un cordon électrique renforcé, ainsi qu'un interrupteur d'usage intense.

Toupie

Scie circulaire

Ponceuse-bloc

Scie sauteuse

Rabot

Pistolet à calfeutrer

Scie à chantourner

Fusil à colle chaude

Le coffre intermédiaire comprend davantage d'outils électriques, ainsi que des outils manuels spécialisés. Remplacez ou aiguisez les lames qui sont émoussées.

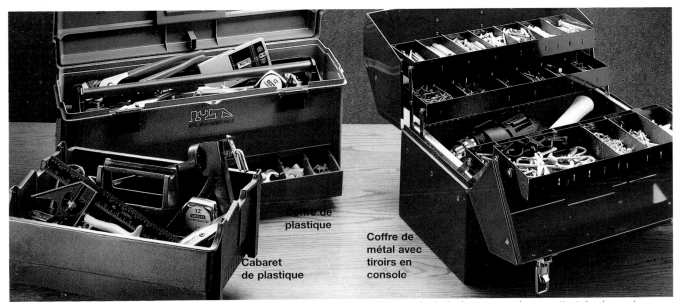

Cabaret de plastique

Coffre de plastique

Coffre de métal avec tiroirs en console

Les coffres à outils de métal et de plastique sont légers et durables. Les coffres munis de tiroirs en console permettent de classer les outils et la quincaillerie.

Des outils pour mesurer et tracer

La préparation de tous les projets de menuiserie exige des mesures précises des distances et des angles. Procurez-vous un ruban à mesurer avec une lame de 3/4" de largeur pour vos travaux généraux.

L'équerre à combinaison vous permet de tracer des angles droits et à 45°. L'équerre de charpente vous permet également de marquer les angles à 90°. Utilisez une fausse équerre munie d'une vis de blocage pour mesurer et reporter n'importe quel angle.

Pour vérifier l'aplomb et le niveau, procurez-vous un niveau de menuisier de deux pieds, en bois ou en métal. Choisissez un modèle dont les tubes sont amovibles et pourront être remplacés. Ayez aussi sous la main un cordeau enduit de craie pour tracer les longues lignes.

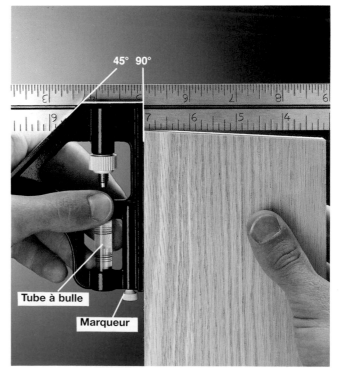

Un ruban à mesurer en acier avec une lame de 3/4" convient parfaitement à un usage général. Choisissez-en un avec des marques aux 16 pouces; il sera pratique lors de la disposition des montants et des solives.

L'équerre à combinaison est un outil multiple. La poignée permet de donner des lectures de 45° et de 90°. L'équerre comporte également un niveau à bulle et certains modèles sont munis d'une pointe de métal pour marquer les coupes.

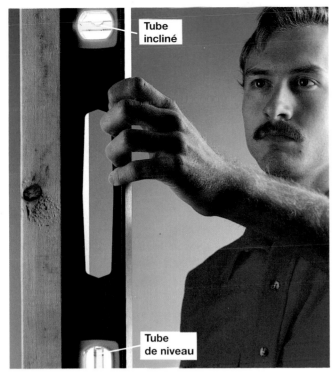

Tube incliné

Tube de niveau

Le niveau de menuisier possède un tube incliné qui vérifie l'aplomb vertical et un tube de niveau pour vérifier le niveau horizontal. Le niveau indique la bonne position quand la bulle est exactement entre les marques.

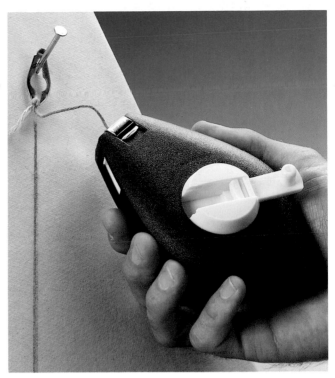

Le cordeau enduit de craie sert à tracer les grandes lignes. Maintenez le cordeau tendu aux deux extrémités et faites-le claquer fermement pour tracer la ligne.

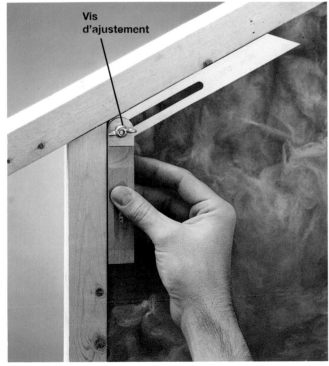

Vis d'ajustement

1 Desserrez la vis et réglez les bras en les ajustant à l'angle. Resserrez la vis.

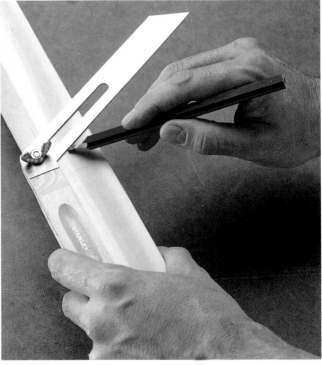

2 Placez la fausse équerre sur l'ouvrage et tracez l'angle. Coupez le long de la ligne.

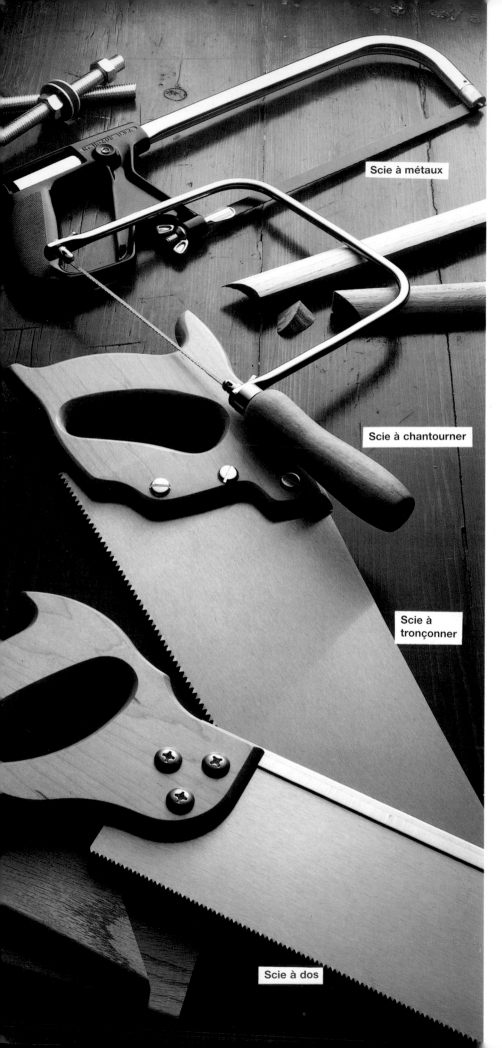

Scie à métaux

Scie à chantourner

Scie à tronçonner

Scie à dos

Les scies manuelles

Pour les petits travaux et une utilisation occasionnelle, les scies à main peuvent être plus pratiques que les scies électriques.

La scie à tronçonner est l'outil standard qui coupe en travers les fibres du bois. Elle pourra, à l'occasion, servir pour refendre dans le sens du grain. Une scie à tronçonner avec dix dents au pouce constitue un bon choix pour un usage général.

Une scie à dos (ou scie à dossière) et une boîte à onglets s'utilisent pour les coupes droites. Le dos renforcé de la scie empêche la lame de plier et la boite à onglets se place dans toutes les positions pour couper à angle et en biseau.

La scie à chantourner permet de couper des courbes sur des matériaux comme les moulures de bois. Elle comporte une mince lame flexible tendue par un cadre en C. Contrôlez la coupe en ajustant la lame avec les pivots qui la retiennent.

La scie à métaux, comme la scie à chantourner, comporte une lame amovible qui peut être remplacée quand elle est émoussée.

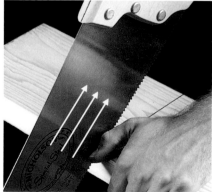

Engagez la coupe en plaçant le talon de la lame sur le bois pour faire une rainure. Faites ensuite de longs mouvements à un angle d'environ 45° de la surface de travail. Au début, guidez la lame avec le côté du pouce.

La scie à tronçonner est l'outil classique de menuiserie. À la fin de la coupe, travaillez lentement et retenez la pièce de rebut avec votre main libre pour empêcher l'éclatement du bois.

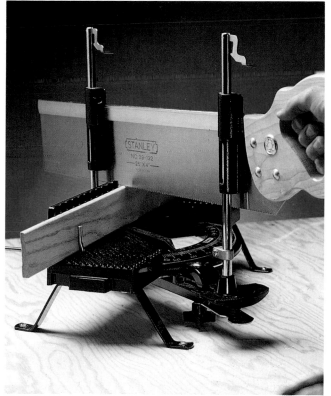

La scie à dos et la boîte à onglets servent à couper des angles précis. Retenez, à la main ou avec une serre, la pièce dans la boîte et assurez-vous que celle-ci soit également retenue à la surface de travail.

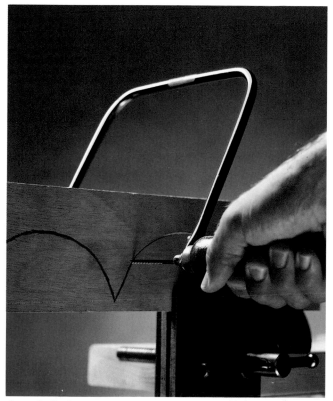

La scie à chantourner possède une lame mince et flexible permettant de couper des courbes. C'est un outil indispensable pour couper et ajuster les moulures de bois.

La scie à métaux comporte une lame mince à denture fine pouvant scier le métal. La lame doit être bien tendue dans son cadre.

La scie circulaire portative

La scie circulaire est l'outil par excellence pour réaliser rapidement des coupes rectilignes dans le bois. Munie de lames spéciales, la scie circulaire peut couper aussi bien le métal et le plâtre que le béton. Grâce à sa semelle ajustable, vous pouvez régler précisément la profondeur de coupe de la lame, tout comme son inclinaison (en biseau).

Choisissez une scie circulaire possédant une lame d'au moins 7 1/4" de diamètre. Un scie plus petite ne pourra pas couper une pièce de bois de 2" et, encore moins réaliser une coupe en biseau. Quant au moteur de la scie circulaire, il devrait offrir une puissance minimale de deux chevaux-vapeur ou plus.

Comme la lame coupe en tournant vers le haut, elle peut provoquer des éclats de bois qui abîmeraient le dessus de la pièce. Avant de la couper, reportez vos mesures sur sa face interne et assurez-vous que son côté fini est tourné vers le sol.

Vérifiez l'angle de coupe de la scie circulaire au moyen d'une fausse équerre ou encore d'une simple équerre de menuisier. Faites d'abord des essais sur des retailles de bois. Si vous n'obtenez pas l'angle désiré, réajustez l'angle de la semelle au moyen de l'ailette de blocage (voir page 15).

Utilisez un tasseau pour les longues coupes rectilignes. Fixez le tasseau avec des serres à chaque extrémité. Appuyez fortement la semelle de la scie contre le guide et faites avancer la lame lentement pour ne pas forcer le moteur.

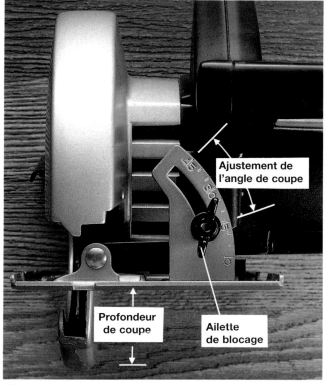

Ajustement de l'angle de coupe

Profondeur de coupe

Ailette de blocage

Déterminez l'angle de la lame en dévissant l'ailette de blocage et faites tourner la semelle. Pour obtenir la profondeur de coupe désirée, dévissez l'ailette de blocage située à l'arrière de la scie et baissez ou relevez la semelle. Par mesure de sécurité, faites en sorte que la lame n'excède pas la pièce de bois de plus d'une longueur de dent. Resserrez fermement les ailettes.

Precisi
Saw Blade

Chr
Plated Sa

Piran
Carbide-Tooth Sa

Ab
Sa

Abras
Saw Blad

Lame à tronçonner pour contreplaqué, pour des coupes au fini satiné

Lame à dresser avec des dents évidées, idéale pour les travaux de bois d'œuvre

Lame combinée (à refendre et à tronçonner) à dents carburées

Lame abrasive pour maçonnerie

Lame abrasive pour métaux

Les différentes lames de scie circulaire : la lame combinée à dents carburées pour usage universel; la lame à tronçonner, dont les petites dents ne produisent pas d'éclats dans les minces couches de placage du contreplaqué; la lame à dresser, dont les dents évidées réduisent la friction et sont idéales pour les travaux de bois d'oeuvre; enfin, les lames abrasives pour couper les métaux ou la maçonnerie.

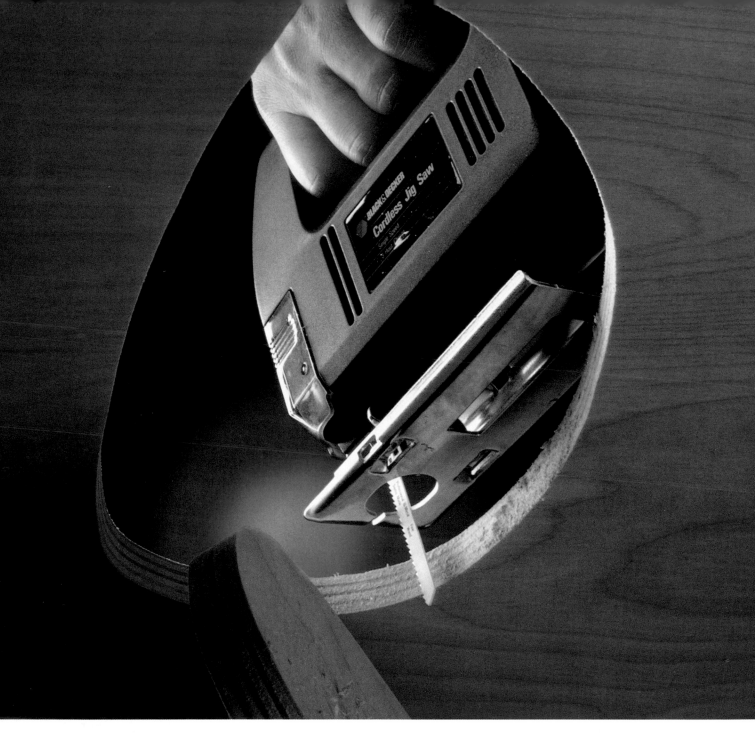

La scie sauteuse

Ce type de scie est un très bon choix pour couper en ligne droite, ou en ligne courbe, le contreplaqué, le stratifié et même certains métaux mous. Sa capacité dépend de sa force et du chemin de sa lame. Choisissez un outil calibré pour couper deux pouces de profondeur dans le bois mou et 3/4" de profondeur dans le bois dur. Certains modèles sont munis d'une semelle pivotante qui permet les coupes en biais.

Achetez une scie sauteuse à vitesse variable : vous y adapterez des lames variées et vous obtiendrez ainsi de meilleurs résultats. En général, employez une vitesse rapide avec les lames à grosses dents et une vitesse lente, avec celles à petites dents.

Les scies sauteuses ont tendance à vibrer à cause du mouvement vertical de la lame. Un outil de qualité possède une semelle de métal épaisse qui réduit les vibrations. Pour les réduire davantage, déplacez la scie lentement, pour éviter que la lame ne se courbe, et appuiez-la fermement contre la pièce.

Comme les lames de la scie sauteuse coupent en remontant, le bois peut éclater sur la face extérieure. Si vous devez protéger une face, tournez-la vers le sol.

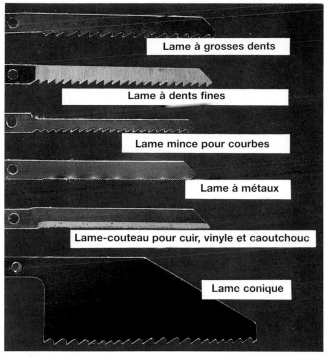

Les lames de scie sauteuse sont adaptées à divers matériaux. Choisissez la lame dont vous avez besoin. Avec une lame à dents fines, plus de 14 dents au pouce, travaillez à vitesse lente. Les plus grosses dents exigent une vitesse rapide.

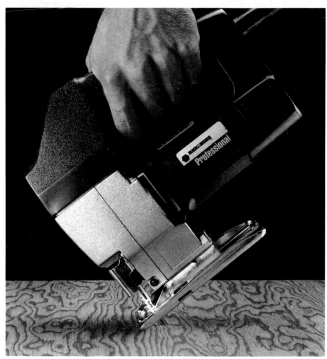

Les coupes intérieures s'amorcent en appuyant le devant de la semelle sur le bois. Démarrez la scie et faites pénétrer lentement la lame jusqu'à ce que l'outil soit à l'horizontale.

Les courbes sont exécutées avec une lame étroite. Déplacez l'outil lentement pour éviter de plier la lame. Certaines scies sauteuses possèdent un bouton d'ajustement permettant à la lame de pivoter sans tourner la scie.

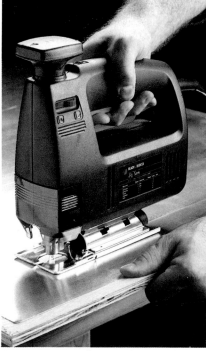

Coupez les métaux à l'aide d'une lame aux dents fines et travaillez à vitesse réduite. Supportez le métal en feuilles avec un mince contreplaqué pour éliminer les vibrations. Utilisez un papier d'émeri ou une lime pour adoucir les arêtes.

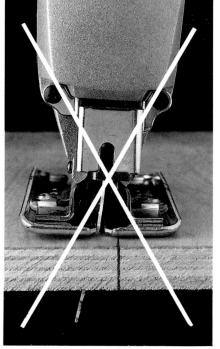

Ne forcez pas les lames. Les lames de scie sauteuse sont flexibles et peuvent se briser quand elles sont forcées. Déplacez la scie lentement lorsque vous coupez en biseau ou dans des matériaux durs, comme les noeuds dans le bois.

17

Les marteaux

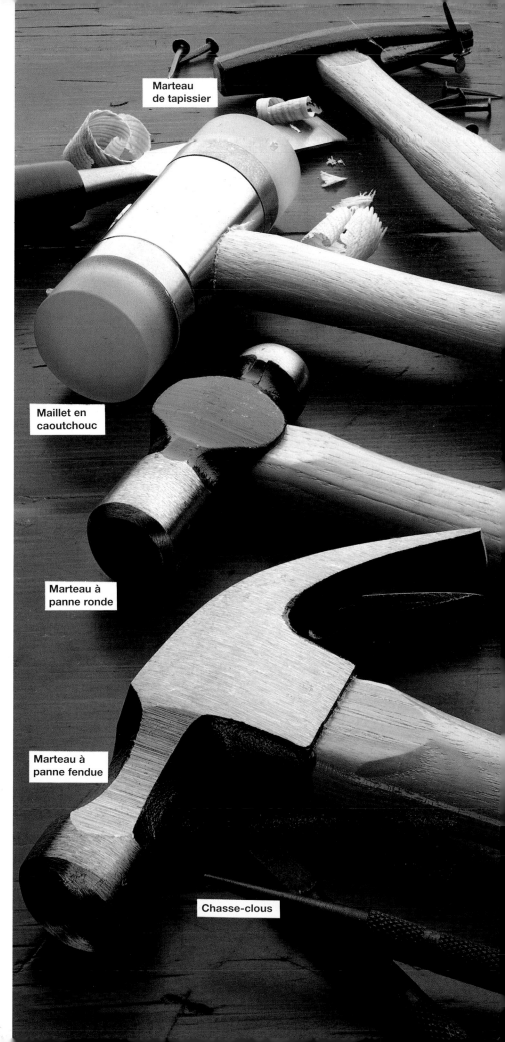

Il faut bien choisir la forme et la grosseur de marteau qui convient à un ouvrage précis. On favorisera une tête en acier poli à haute teneur en carbone, munie d'un manche de qualité en bois, en fibre de verre ou en acier plein.

En menuiserie, le marteau de base est à panne fendue et il pèse 16 onces. Il s'utilise pour enfoncer et arracher les clous. Pour tous les autres travaux, il existe des marteaux spécialisés. Ainsi, un marteau magnétique de tapissier permet de travailler avec des broquettes et des petits clous. Avec les ciseaux à bois, l'utilisation du maillet en caoutchouc ou en plastique facilite le travail. Le marteau à panne ronde s'utilise avec les outils d'acier trempé, comme les burins et les leviers. Sa tête en acier traité ne s'écaille pas.

Utilisez un chasse-clou pour enfoncer les têtes de clous sous la surface du bois, sans endommager la pièce.

Marteau de tapissier

Maillet en caoutchouc

Marteau à panne ronde

Marteau à panne fendue

Chasse-clous

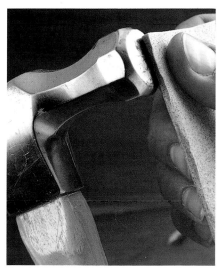

Nettoyez la face du marteau périodiquement, à l'aide d'un papier sablé fin; la résine du bois et les enduits des clous s'accumulent et peuvent faire glisser l'outil, ce qui risquerait d'endommager la pièce.

L'usage du marteau

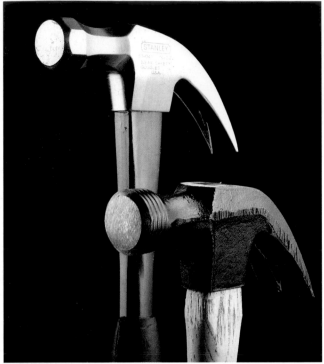

Le marteau à panne fendue enfonce et arrache les clous. Choisissez un bon marteau de 16 onces, avec une tête d'acier poli à haute teneur en carbone. Un outil de moindre qualité se reconnaît à son fini rugueux, souvent peint, qui conserve les traces du moulage.

Le marteau magnétique de tapissier enfoncera les petits clous et les broquettes qui se tiennent difficilement avec les doigts.

Le maillet en caoutchouc, ou en plastique, permet de travailler avec des ciseaux à bois sans les abîmer.

Le marteau à panne ronde possède une tête d'acier trempé qui ne s'écaille pas. On peut donc l'utiliser pour frapper des outils, tels les poinçons d'acier et les leviers.

Le chasse-clou permet d'enfoncer les têtes de clous sous la surface du bois. Choisissez toujours un chasse-clou dont le diamètre de la pointe est inférieur à celui de la tête du clou.

Les clous

Il existe un choix varié de clous, offerts dans tous les styles et toutes les grandeurs, pouvant s'adapter à l'ouvrage projeté. En menuiserie générale, vous pouvez utiliser le clou commun ou le clou phosphaté (box nail). Ces derniers ont un petit diamètre et ne risquent pas de fendre le bois. Les deux sont parfois recouverts d'un enduit qui leur procure davantage de prise.

Les clous à finir et les clous à boiseries ont de petites têtes que l'on enfonce légèrement sous la surface avec un chasse-clou. Ils servent surtout aux travaux de finition. La tête des clous à boiseries est un peu plus grosse et elle a plus de prise que celle des clous à finir. Les clous galvanisés sont enduits de zinc, ce qui les empêche de rouiller. Ils sont utilisés pour les travaux extérieurs.

D'autres clous spécialisés sont identifiés selon leur fonction, comme les clous pour panneaux muraux, les clous à maçonnerie ou les clous à parquets.

Les clous portent des numéros identifiant leur longueur. Ce numéro, de 4 à 60, est suivi de la lettre «d» ou du mot «pouce». Certains clous spécialisés sont identifiés selon leur calibre ou leur longueur.

Formats de clous

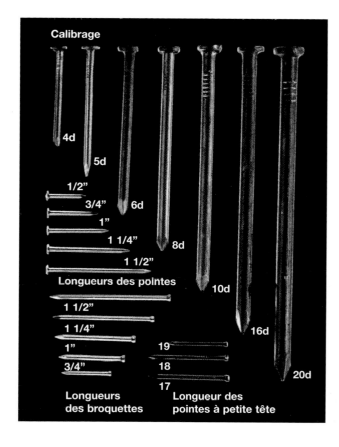

Calibrage
4d
5d
1/2"
3/4" 6d
1"
1 1/4" 8d
1 1/2"
Longueurs des pointes
10d
1 1/2"
1 1/4" 16d
1" 19
3/4" 18
20d
17
Longueurs des broquettes
Longueur des pointes à petite tête

Types de clous

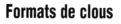

Clou commun pour usage général

Clou phosphaté pour travaux légers

Clou pour revêtement extérieur

Clou à finir pour moulures

Clou galvanisé à boiseries

Clou vrillé pour parquetage

Clou coupé à parquets pour retenir les panneaux au béton

Clou à maçonnerie pour brique et ciment

Clou annelé galvanisé pour revêtements

Clou vrillé galvanisé pour revêtements

Clou vrillé d'aluminium

Clou vrillé d'aluminium pour clôture

Clou galvanisé à toiture

Clou étanche à toiture pour revêtement de métal

Clou à gypse

Clou à deux têtes pour travaux temporaires

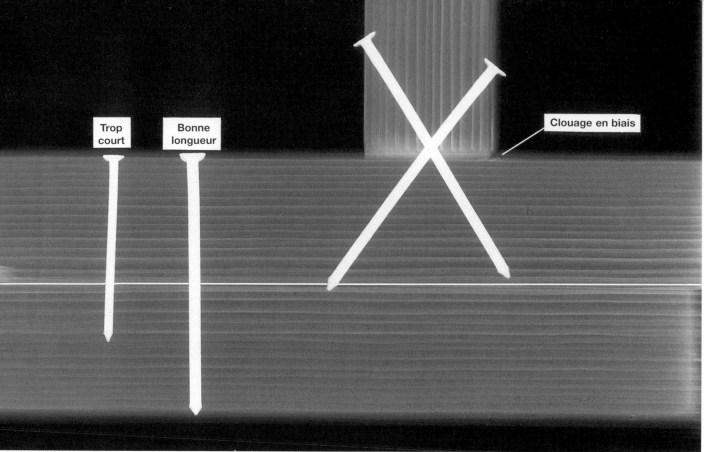

Trop court

Bonne longueur

Clouage en biais

Une vue aux rayons-X nous montre des clous pénétrant le bois. Le clou long qui s'enfonce dans le deuxième madrier a davantage de prise. Clouez en biais et de part et d'autre de la pièce quand vous ne pouvez le faire de l'extérieur. Décalez les clous afin qu'ils ne se touchent pas.

Trucs de clouage

Enfoncez les clous carrés à béton dans les joints de mortier plutôt que dans les blocs, la tâche n'en sera que plus facile.

Les ferrures sont souvent utilisées pour joindre les pièces de bois : les montants aux lisses, par exemple.

Assembler du bois à une poutrelle d'acier

1 Enduisez généreusement le dessus de la pièce de bois avec de la colle de construction. Retenez le bois à la poutrelle avec des serres.

2 Percez des trous avec une mèche de 9/64", tous les 16" centre à centre, dans le bois et la base de la poutrelle. Percez le métal à basse vitesse. Enfoncez des clous de 16d dans les trous et repliez-les sur la base de la poutre.

Repliez les clous pour leur donner davantage de prise; pliez-les d'abord légèrement et aplatissez-les ensuite contre la surface.

Utilisez un clou à finir et une perceuse électrique pour pratiquer les avant-trous dans le bois dur. Serrez bien le clou dans le mandrin.

Les leviers

Les barres-levier de qualité sont faites d'acier au carbone et elles sont offertes en plusieurs longueurs. Choisissez un outil monobloc. Les modèles comportant des pièces soudées sont moins solides que ceux dont les pièces sont forgées.

La plupart des barres ont une mâchoire recourbée à une extrémité, pour enlever les clous, et une extrémité biseautée du côté opposé, servant à d'autres fonctions. Augmentez l'effet du levier en plaçant un bloc de bois sous la tête de la barre.

Wonderbar® est un outil légèrement flexible en acier plat. Cet outil précieux sert de levier et aux travaux de démolition. Les deux extrémités peuvent être utilisées pour enlever les clous.

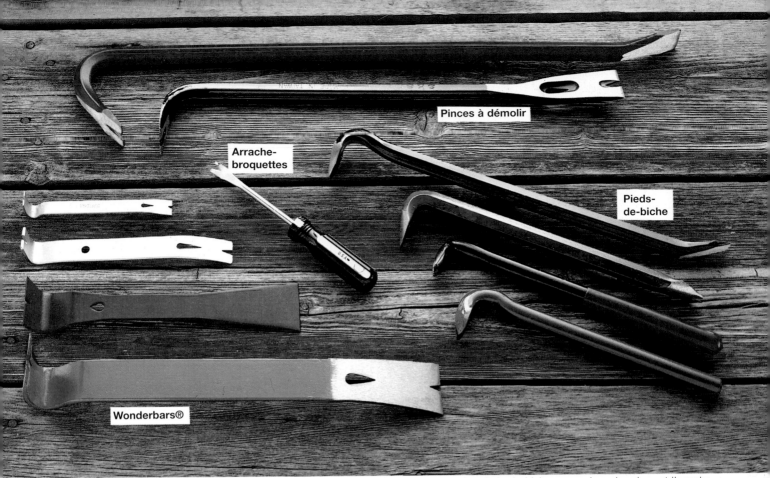

Pinces à démolir

Arrache-broquettes

Pieds-de-biche

Wonderbars®

Les barres et les leviers comprennent les pinces à démolir pour les gros travaux, les pieds-de-biche pour enlever les clous et l'arrache-broquettes. Les Wonderbars® sont faites d'acier plat et elles sont offertes en deux formats : pour des travaux lourds ou légers.

La pince à démolir, souvent appelée barre à clous, est un outil rigide destiné aux travaux lourds. Utilisez un morceau de bois pour protéger les surfaces.

Le pied-de-biche possède une mâchoire acérée. Pour enlever les clous, faites pénétrer la pointe dans le bois et sous la tête du clou avec un marteau.

Les perceuses

Habituellement, les perceuses qu'on trouve sur le marché sont classées selon la grosseur de tiges maximales que leur mandrin peut accepter : 1/4", 3/8" ou 1/2". L'achat du modèle de 3/8" constitue un excellent choix, car il peut accepter bon nombre de forets et d'accessoires divers. La perceuse à vitesse variable et à marche arrière vous permettra de réaliser différents types de travaux : percer dans la maçonnerie, enfoncer ou enlever des vis de panneaux muraux. Enfin, la perceuse sans fil vous permettra de travailler à l'aise, sans être encombré par un fil ou une rallonge.

En choisissant une perceuse, recherchez un modèle de qualité offrant certains avantages, comme un long fil d'alimentation protégé (fiche à trois lames) et un interrupteur isolé empêchant la saleté de s'infiltrer dans la poignée. Note : une perceuse électrique faite de matériaux de grande qualité peut être aussi petite, légère et facile d'emploi qu'une autre de moindre qualité.

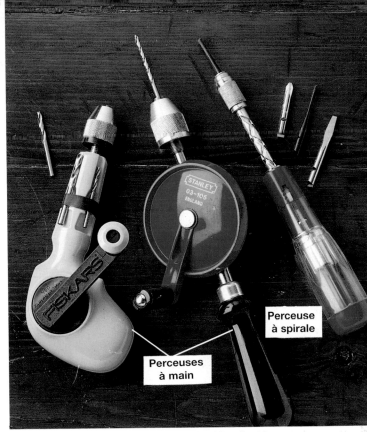

Perceuse à spirale

Perceuses à main

Les perceuses à main comprennent la chignole et les perceuses à spirale et à rochet. De nos jours, on les emploie surtout en ébénisterie ou en menuiserie de finition.

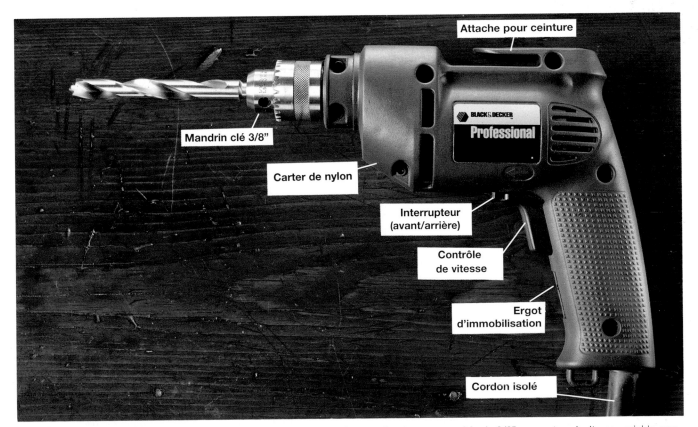

Attache pour ceinture

Mandrin clé 3/8"

Carter de nylon

Interrupteur (avant/arrière)

Contrôle de vitesse

Ergot d'immobilisation

Cordon isolé

Une bonne perceuse électrique devrait présenter les caractéristiques suivantes : un mandrin de 3/8", un moteur à vitesse variable, une renverse, un ergot d'immobilisation pour vitesse constante, un manchon protecteur du fil d'alimentation, un boîtier léger et résistant, ainsi qu'un crochet pour la suspendre à votre ceinture.

Les mèches et forets

La plupart des forets peuvent percer aussi bien le bois que le métal. Ils sont offerts en plusieurs calibres, de très petit à 1/2". et certains sont munis d'une pointe spéciale permettant un centrage précis. Pour percer l'acier inoxydable et d'autres métaux durs, il est préférable d'utiliser des forets munis d'une pointe en alliage de titane ou de cobalt.

Les mèches à bois, ou tarières, ont une pointe saillante et un couteau large qui permettent d'attaquer le bois rapidement et avec précision. D'autres mèches, comme les emporte-pièce et les mèches à maçonnerie, sont destinées à des travaux spécialisés.

Nettoyez les mèches et les forets avec de l'huile de lin afin qu'ils ne rouillent pas. Rangez-les en évitant de les entrechoquer.

Foret à bois et à métal. Percez le bois à haute vitesse et le métal, à basse vitesse.

La mèche à autocentrage ne nécessite pas l'emploi d'un poinçon. La pointe réduit l'éclatement du bois et empêche la mèche de plier en perçant le métal.

La mèche au carbure à pointe au carbone peut percer le béton, les blocs de ciment et la brique. Travaillez à basse vitesse et lubrifiez l'ouvrage d'un peu d'eau pour prévenir la surchauffe.

La mèche à céramique permet de percer les surfaces lisses et friables. Travaillez à basse vitesse. Portez des gants et des lunettes de sécurité.

Le foret-râpe est une mèche à pointe torsadée qui perce un trou d'entrée. Les côtés en forme de râpe dégagent et évacuent le bois, le plastique et les métaux légers.

La mèche à griffe, ou tarière, est utilisée pour percer le bois. La pointe guide la tarière avant que les lames n'attaquent le bois. Commencez a basse vitesse et augmentez-la graduellement.

Le foret-fraise ajustable perce des avant-trous et les fraise lors de la même opération. Ajustez le foret selon la forme et la longueur des vis àinstaller.

Le coupe-cheville permet d'extraire des bouchons de bois qui couvriront les têtes des vis.

L'emporte-pièce possède une pointe au centre qui guide l'appareil. Il sert à percer les surfaces sur lesquelles seront installées des poignées.

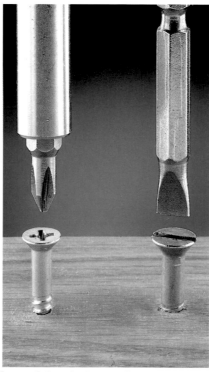

Les pointes de tournevis permettent d'utiliser la perceuse à vitesse variable comme un tournevis électrique.

Le foret-extracteur permet de retirer les vis dont la tête est émoussée ou brisée. Percez un avant-trou sur le dessus de la vis à l'aide d'un foret ordinaire. Travaillez ensuite avec l'extracteur, en utilisant la perceuse en marche arrière.

Trucs de perçage

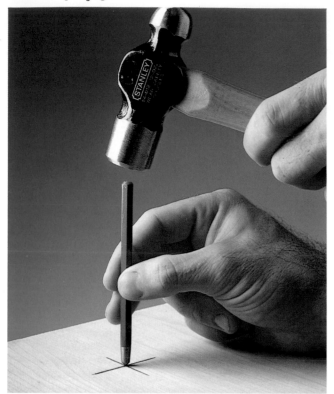

Faites une marque dans le bois ou le métal avec un poinçon. Ce point de départ empêchera la mèche de la perceuse de dévier.

Couvrez l'endroit à percer dans la vitre ou la céramique avec un ruban-cache. Le ruban empêchera les déplacements latéraux de la mèche.

Utilisez un bois d'appui pour empêcher l'éclatement du bois lorsque la mèche traverse la première pièce.

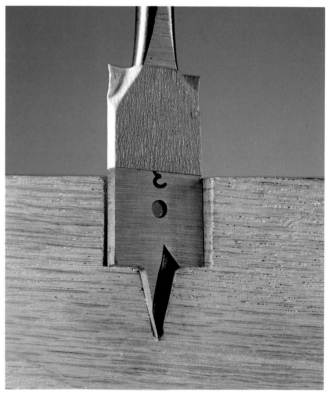

Enroulez un ruban-cache autour de la mèche comme guide de profondeur du trou; percez jusqu'à ce que le ruban affleure la surface.

Lubrifiez le métal avec de l'huile pendant que vous percez; l'huile empêche la surchauffe du foret. Travaillez à vitesse réduite lorsque vous percez le métal.

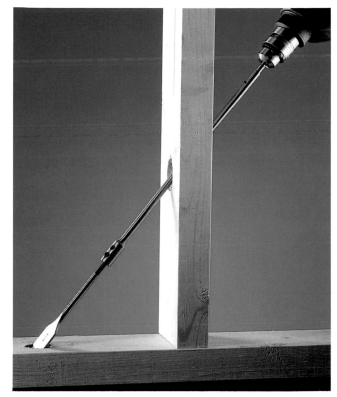

Utilisez une rallonge de foret pour les endroits inaccessibles. Percez à vitesse réduite jusqu'à ce que la lame soit complètement engagée.

Faites des avant-trous dans le bois dur et le métal avec un petit foret. Ces avant-trous empêchent le foret de plier et le bois de fendre.

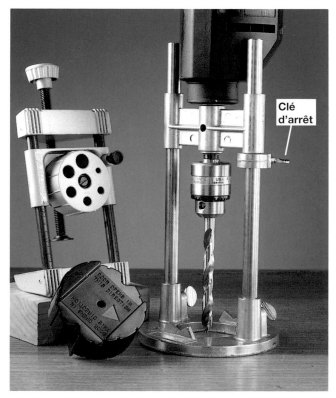

Clé d'arrêt

Les supports verticaux contrôlent l'angle de perçage. Le guide de droite contrôle également la profondeur.

Les vis et tournevis

Tout bon bricoleur se doit de posséder un ensemble de tournevis manuels à pointe plate, à pointe cruciforme (Phillips) et à pointes carrées. Un tournevis de qualité se reconnaît à sa lame d'acier trempé et à son large manche qui procure une bonne prise.

Pour les travaux simples, l'emploi d'un tournevis électrique sans fil vous fera économiser du temps et de l'énergie. Pour les gros travaux, comme la pose de panneaux muraux, utilisez un tournevis électrique sans fil muni d'un engrenage réglable; il vous permettra d'enfoncer les vis à différentes profondeurs.

Les vis sont classées selon leur longueur, leur diamètre (leur calibre), leur forme d'engagement et leur type de tête. La grosseur du fût d'une vis est indiquée par un numéro de calibre, soit de 0 à 24. Plus le chiffre est élevé, plus la vis est grosse. Les vis de gros calibre ont une grande force de retenue, alors que les petites vis empêchent la pièce d'éclater. Lorsque vous assemblez deux pièces de bois, choisissez une vis dont la partie filetée s'enfoncera complètement dans la pièce de base.

Pour un travail soigné, utilisez une fraise ou un foret-fraise et pratiquez un avant-trou qui cachera la tête de la vis. La fraise permet d'enfoncer une vis à tête plate jusqu'à ce qu'elle affleure la surface de bois. Le foret-fraise permet d'enfoncer la vis et d'en cacher la tête d'un bouton décoratif en bois.

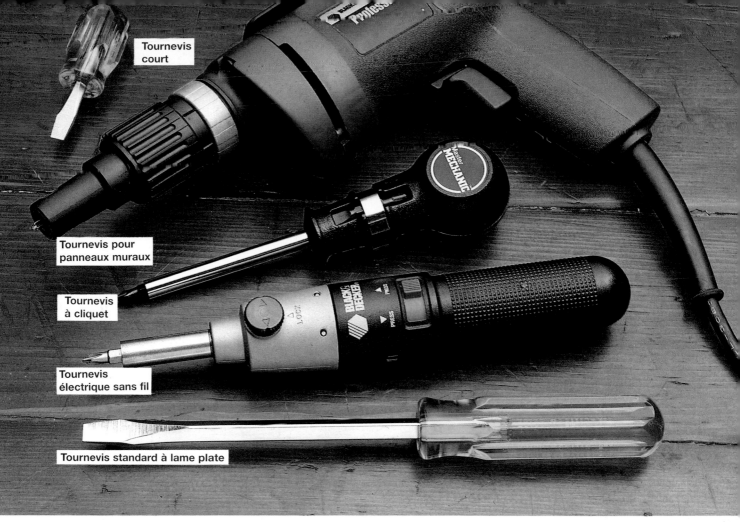

Les tournevis usuels sont (à partir du haut) : le tournevis court (pour les espaces exigus) le tournevis a engrenage réglable (pour la pose des panneaux muraux), le tournevis à cliquet avec pointes interchangeables, le tournevis électrique sans fil avec blocage à prise et le tournevis à lame plate.

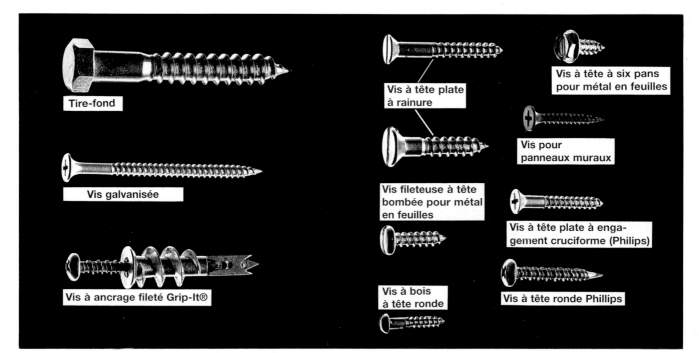

Les types de vis : tire-fond, vis galvanisée, vis à ancrage à tête à six pans pour métal en feuilles, vis pour panneaux fileté Grip-It®, vis à tête plate à rainure, vis fileteuse à tête muraux, vis à tête plate à engagement cruciforme bombée pour métal en feuilles, vis à bois à tête ronde, vis (Phillips), et vis à tête ronde Phillips.

Trucs de vissage

Pour enfoncer plus facilement les vis, **lubrifiez-les** avec de la cire d'abeille. Il est déconseillé d'employer du savon, de l'huile ou de la graisse, car ces substances pourraient tacher le bois ou abîmer les vis.

Pratiquez toujours **un avant-trou de guidage** avant le vissage. Ce trou empêchera le bois d'éclater. Utilisez une mèche dont le diamètre est légèrement inférieur à celui de la partie filetée de la vis et du même diamètre que le fût·de la vis.

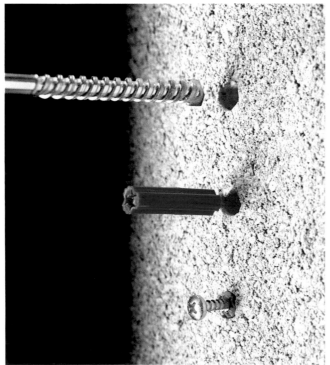

Pour installer une fixation murale, percez un trou de guidage dans le mur, du même diamètre que la cheville de plastique. Enfoncez cette dernière dans le mur. En vissant, la vis dilatera la cheville qui fournira ainsi une excellente prise.

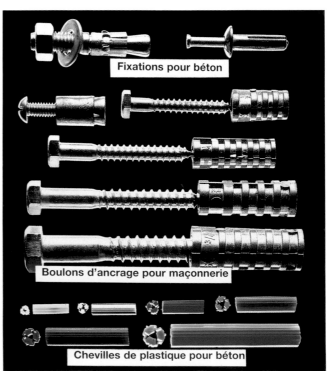

Fixations pour béton

Boulons d'ancrage pour maçonnerie

Chevilles de plastique pour béton

Pour les surfaces pleines, comme le béton, la brique ou le plâtre, employez un des **types de fixations** illustrées ci-dessus. Utilisez toujours une fixation de longueur égale à l'épaisseur du mur.

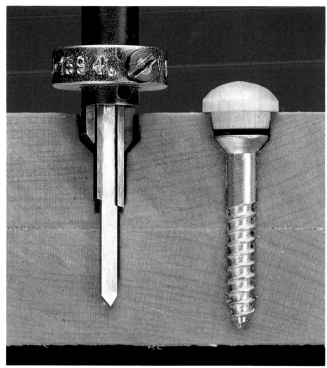

Pratiquez un trou de guidage avec un foret-fraise ajustable. Desserrez la petite vis de fixation et ajustez la longueur du foret pour qu'elle corresponde à la longueur et à la forme de la vis à bois. Resserrez la petite vis et percez jusqu'à ce que la bague de la mèche touche à la surface du bois. Une fois la vis enfoncée, bouchez l'avant-trou.

Les vis pour panneaux muraux possèdent une tête en forme de coin qui leur permet de «creuser» leur avant-trou. Ces vis sont conçues de façon à ne pas faire éclater le bois. Employez les vis noires pour les travaux intérieurs et les vis galvanisées pour ceux extérieurs.

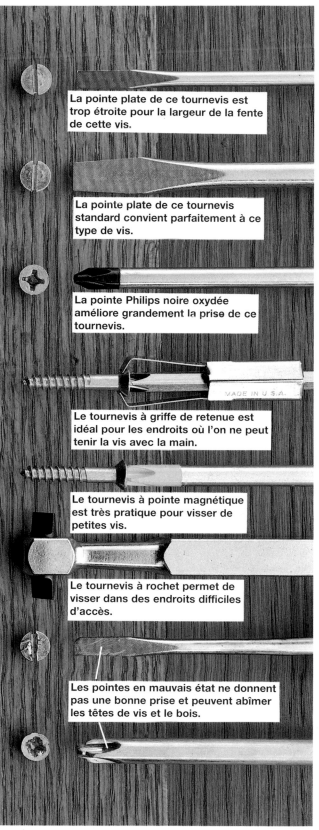

La pointe plate de ce tournevis est trop étroite pour la largeur de la fente de cette vis.

La pointe plate de ce tournevis standard convient parfaitement à ce type de vis.

La pointe Philips noire oxydée améliore grandement la prise de ce tournevis.

Le tournevis à griffe de retenue est idéal pour les endroits où l'on ne peut tenir la vis avec la main.

Le tournevis à pointe magnétique est très pratique pour visser de petites vis.

Le tournevis à rochet permet de visser dans des endroits difficiles d'accès.

Les pointes en mauvais état ne donnent pas une bonne prise et peuvent abîmer les têtes de vis et le bois.

À chaque type de travail le bon tournevis! La lame du tournevis doit épouser parfaitement la forme de la vis utilisée. Les types de tournevis les plus répandus comprennent les modèles à pointe plate, à pointe cruciforme (Phillips), à pointe oxydée noire, à griffe de retenue, à pointe magnétique, et à pointe coudée (à rochet) pour les endroits difficiles d'accès.

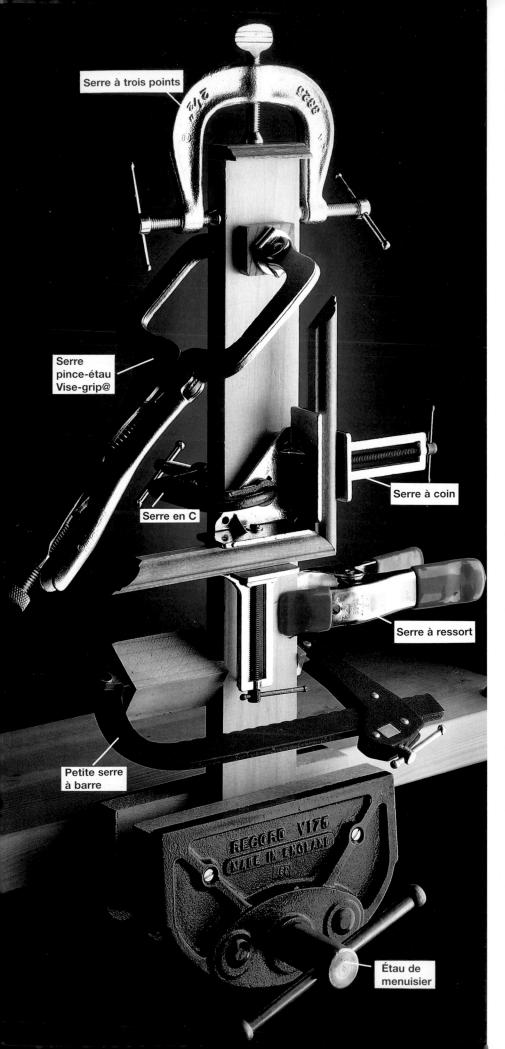

Serre à trois points

Serre pince-étau Vise-grip@

Serre en C

Serre à coin

Serre à ressort

Petite serre à barre

Étau de menuisier

Les serres, étaux et colles

Utilisez les serres et les étaux pour maintenir les matériaux en place pendant que vous travaillez. Equipez votre table de travail d'un robuste étau de menuisier. Les serres destinées aux menus travaux comprennent les serres en C, les serres pince-étau, les serres à main et les serres à coulisse. Les serres à mâchoires métalliques peuvent endommager le bois, il est donc recommandé de le protéger avec des blocs protecteurs en bois.

Pour les grandes surfaces, utilisez des serres à coulisse ou à barre. Les mâchoires des serres à coulisse se fixent à des tuyaux ordinaires et la distance se règle selon leur longueur.

Les différentes colles servent à joindre les matériaux qui peuvent difficilement être cloués ou vissés, comme le béton ou l'acier. Elles permettent également de réduire le nombre d'attaches nécessaires pour fixer des panneaux muraux. Plusieurs colles résistent maintenant à l'humidité et aux variations de températures, permettant ainsi leur utilisation à l'extérieur.

Les adhésifs usuels comprennent (à partir d'en haut à droite) : pâte à calfeutrer claire pour endroits humides, colle de construction hydrofuge, adhésif tout-usage, fusil à colle chaude et bâtons de colle, colle jaune à bois, colle blanche et colle blanche tout-usage.

La colle pour solives et patios permet de construire des planchers solides et sans craquements. Assurez-vous qu'elle est hydrofuge avant de l'utiliser à l'extérieur.

L'étau de menuisier se fixe à la table de travail et retient les matériaux à couper ou à poncer. Garnissez les mâchoires de retailles de bois pour protéger les pièces.

Le fusil à colle chaude fait fondre la colle qui fixe temporairement ou d'une manière permanente le bois et d'autres matériaux.

Trucs pour coller et mettre sous serre

Les serres à main ont des mâchoires de bois munies de deux vis. Ce type de serres est utilisé pour retenir des pièces à coller. Leurs mâchoires d'érable ne les endommagent pas et elles s'ajustent à des angles variés.

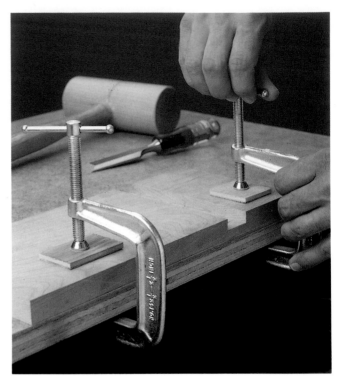

Les serres en C ont en général une capacité d'ouverture variant de 1" à 6". Pour protéger l'ouvrage des marques des mâchoires, placez des morceaux de bois entre les mors et la surface de l'objet.

La serre à coin retient les moulures de cadres coupées à angle droit que l'on veut coller. Collez et mettez sous serre les coins opposés et répétez l'opération pour les autres coins.

La serre à trois points possède trois vis et elle sert à retenir une bordure de tablette, de table ou d'autres surfaces. Protégez les surfaces avec des retailles de bois.

La serre à courroie combinée à la colle à bois est particulièrement utile en ébénisterie. La colle jaune est recommandée pour
les travaux extérieurs. Laissez l'objet sous serre jusqu'à ce que la
colle soit sèche.

Les serres à coulisse ou à barre retiennent les grandes
surfaces. Achetez-les en paires qui s'adapteront à des tuyaux de
1/2" ou de 3/4" de diamètre. Pour les surfaces irrégulières, il
vous faudra fabriquer des gabarits.

Le banc de travail Workmate® possède un tablier double
ajustable qui permet de serrer des pièces. L'ajout d'accessoires,
comme les butoirs, permet de le rendre plus performant.

La serre pince-étau Vise-Grip® offre une très bonne prise et
s'ajuste facilement. Les poignées permettent de travailler plus
rapidement qu'avec des serres en C.

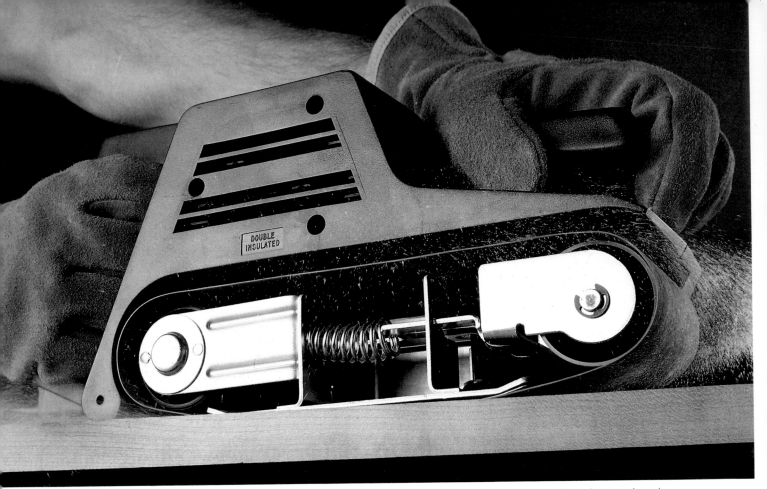

Poncez les grandes surfaces rapidement avec une ponceuse à courroie. Les courroies abrasives peuvent être obtenues dans des calibres de grain variant de 36 (très grossier) à 100 (fin).

Le ponçage

Le ponçage à l'aide d'outils électriques et le papier abrasif servent à rogner et à adoucir le bois et d'autres matériaux de construction. Pour les grandes surfaces, comme les planchers de bois franc, il faut utiliser une ponceuse à courroie à grande vitesse. Les ponceuses à courroie portatives conviennent à la plupart des travaux, y compris la rognure brute de différents matériaux. Quant à la ponceuse de finition, dite orbitale, elle ne sert pas à rogner le bois mais à sa finition. Sur des petites surfaces ou dans les courbes, poncez à la main avec un papier abrasif replié sur un bloc à semelle de caoutchouc.

Les ponceuses sont offertes en différents formats et vitesses d'opération. Les petites ponceuses «quart de feuille» se manipulent facilement. Un peu plus grandes que les précédentes, les «demi-feuille» servent aux grandes surfaces. Les ponceuses à haute vitesse rognent abondamment et rapidement, tandis que les modèles à basse vitesse assurent une finition douce. Cela dit, les ponceuses à vitesse variable sont plus flexibles que les autres.

Les papiers abrasifs sont offerts dans un choix varié de grains. Plus le chiffre est petit, plus le grain est grossier. Le ponçage s'effectue par étapes, allant du papier grossier jusqu'au papier fin.

Le bloc à semelle de caoutchouc est utile pour les petites surfaces. Pour les courbes, enroulez le papier abrasif autour d'un morceau de tapis; le papier suivra les contours.

Le papier grossier n° 60 s'utilise pour les planchers de bois dur et pour rogner les surfaces profondément égratignées. Pour un travail rapide, inclinez la ponceuse à 45° et poncez dans le sens du fil du bois.

Le papier moyen n° 100 convient parfaitement au premier ponçage. Déplacez la ponceuse dans le sens du fil du bois pour obtenir une surface plus douce.

Le papier fin n° 150 adoucit les joints des panneaux muraux et prépare les surfaces de bois à recevoir une teinture.

Le papier très fin n° 220 est utilisé pour adoucir les surfaces teintes avant de les vernir ou entre les couches de vernis.

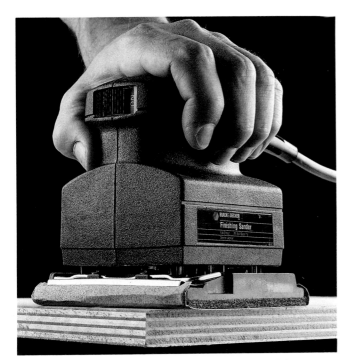

Les ponceuses à finir de qualité ont des moteurs à haute vitesse et un mouvement orbital. Elles peuvent travailler à plat sur des petites surfaces. Pour un ponçage grossier, poncez à contre-fil; pour la finition, travaillez dans le sens du fil.

Les accessoires à poncer pour les perceuses électriques comprennent (dans le sens horaire) : le disque à poncer, les tambours pour les surfaces incurvées et la ponceuse à contour pour les formes irrégulières.

Les rabots et les ciseaux

Arasez et adoucissez le bois avec un rabot à main. Il comporte une lame plate montée sur une semelle d'acier et il est utilisé pour adoucir les surfaces rugueuses ou pour rogner une pièce.

Quant au ciseau à bois, il est constitué d'une lame plate insérée dans une poignée. Il peut couper sous une légère pression manuelle ou en frappant la poignée avec un maillet. Le ciseau est particulièrement utile pour la pose des charnières et pour creuser des mortaises.

Afin d'obtenir de meilleurs résultats, il vaut mieux faire plusieurs coupes minces plutôt que d'effectuer une seule coupe profonde. En forçant l'outil, on risque d'endommager le ciseau et la pièce.

Truc

Pour travailler sécuritairement et facilement, gardez vos outils affûtés. Lors de l'affûtage, servez-vous d'une pierre à l'eau ou à l'huile. Choisissez de préférence une pierre avec une face grossière et une face fine. La pierre doit être immergée dans l'eau ou dans l'huile pour l'empêcher d'endommager le métal trempé.

Dresser une pièce

Talon

Nez

Placez la pièce dans un étau. Faites les passes de rabot dans le sens du fil du bois. Tenez le bouton et la poignée fermement et rabotez en pratiquant de longues passes. Pour un fini régulier, amorcez le mouvement en appuyant sur le nez et portez l'appui vers le talon pour terminer la passe.

Creuser une mortaise

1 Tracez le contour de la mortaise au crayon. Pour les gâches et les charnières, utilisez les pièces comme guide.

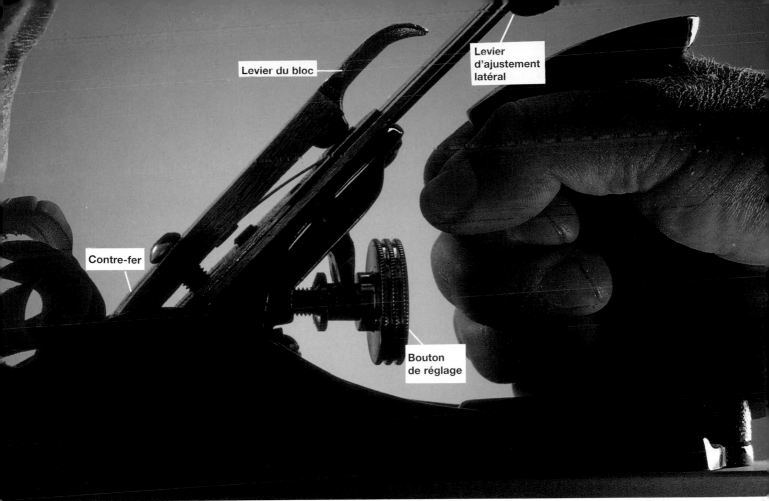

Levier du bloc

Levier d'ajustement latéral

Contre-fer

Bouton de réglage

Ajustez le fer avec le bouton de réglage. Un rabot bien ajusté enlèvera des rognures aussi minces que du papier. Le rabot peut bloquer ou faire éclater le bois si le fer mord trop profondément. Utilisez le levier d'ajustement latéral pour obtenir une coupe régulière. Si le bord du fer marque le bois, vérifiez l'ajustement latéral. Relâchez le levier du bloc pour placer le contre-fer à 1/16" de l'extrémité de la lame.

2 Coupez le contour de la mortaise en tenant le côté biseauté du ciseau à l'intérieur et en frappant légèrement avec un maillet jusqu'à la profondeur désirée.

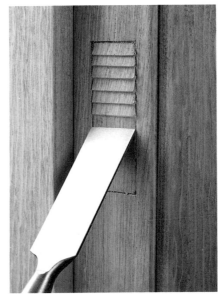

3 Faites une série de coupes parallèles, équidistantes de 1/4", en tenant le ciseau à un angle de 45°. Donnez de légers coups de maillet pour enfoncer la lame du ciseau.

4 Nettoyez les hachures en tenant le côté biseauté du ciseau vers la mortaise. Déplacez-le d'une légère pression de la main.

La toupie

Faites des formes décoratives, creusez des rainures et chanfreinez les stratifiés avec une toupie. Cet outil tourne à grande vitesse et comprend des mèches interchangeables qui façonnent le bois dans des formes variées. Parce que sa vitesse atteint quelque 25 000 tours à la minute, la toupie peut exécuter des coupes même sur les bois très durs.

Pour obtenir de meilleurs résultats, faites plusieurs passes en abaissant graduellement la mèche jusqu'à la profondeur désirée. Pratiquez-vous afin de trouver la vitesse de mouvement appropriée. Un mouvement trop lent peut brûler le bois, tandis qu'un mouvement trop rapide ralentit le moteur et peut le faire surchauffer.

Choisissez une toupie ayant un moteur d'au moins un cheval-vapeur. Des éléments de sécurité, tels un interrupteur à gâchette, un protecteur de copeaux et une lumière intégrée peuvent guider votre choix.

Truc

La mèche de la toupie tourne dans le sens horaire; l'outil a donc tendance à tirer vers la gauche. Vous obtiendrez un meilleur contrôle en déplaçant la toupie de gauche à droite, de sorte que le côté coupant de la mèche entame le bois.

guide

Les moulures décoratives sont normalement faites avec une mèche munie d'un guide à son extrémité. Le guide s'appuie sur la bordure de la pièce pour en contrôler la coupe.

Les mèches de toupie usuelles

La mèche à cimaise arrondit les coins des meubles et des moulures.

La mèche à cimaise romaine crée une forme décorative classique. Cette mèche est souvent utilisée pour faire des moulures et façonner des éléments de meubles.

La mèche à feuillure fait une coupe droite. Elle est utilisée pour les joints d'ébénisterie, les tiroirs et les encadrements.

La mèche à chanfrein pour les stratifiés est idéale pour les rebords de comptoirs. Elle est munie d'un guide sur roulement à billes qui empêche d'égratigner la bordure.

La mèche à cannelure simple creuse une rainure droite. Utilisez-la pour les joints d'ébénisterie où pour le toupillage libre.

La mèche à queue d'aronde sert aux joints d'ébénisterie, particulièrement à ceux des tiroirs.

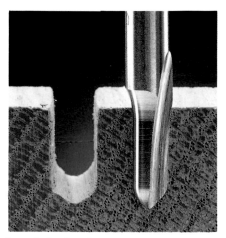

La mèche à veiner a un bout rond et elle est utilisée pour le lettrage et le façonnage décoratif.

Les accessoires

Il existe de nombreux accessoires vous permettant de travailler efficacement et rapidement. Pourvue de meules abrasives, la meuleuse nettoie et affûte les outils. Un tablier porte-outils vous permet d'avoir vos matériaux et vos outils sous la main. Munissez-vous d'une rallonge multiprise; vos outils seront à votre portée lorsque vous travaillez.

L'ajout d'une table, pour vos outils portatifs, vous permettra d'explorer les possibilités de votre scie sauteuse ou de votre toupie. Les outils y sont montés à l'envers et elle comprend des guides à refendre et à onglets pour exécuter vos travaux avec précision.

La meuleuse peut être munie de meules abrasives qui façonnent, polissent ou aiguisent les outils. Laissez le pare-éclats en place et portez des lunettes de sécurité lorsque vous utilisez cet appareil.

Le détecteur de montants permet de trouver l'emplacement exact des montants dans les murs. La lumière rouge s allume lorsque l'appareil détecte un changement de densité dans le mur, causé par la présence du montant.

Une rallonge multiprise permet de brancher plusieurs appareils au même endroit. Pour éviter les risques de chocs, utilisez une rallonge munie d'un disjoncteur de mise à la terre.

La ceinture porte-outils est pourvue de poches et d'un crochet à marteau pour ranger les clous, les vis et les petits outils à la portée de la main. Une ceinture large tissée vous procurera davantage de confort.

La table porte-outils permet de stabiliser la scie sauteuse et la toupie. Le guide ajustable sert à mieux contrôler les coupes. Assurez-vous que le plateau est bien fixé à la surface de travail ou à l'établi.

La perceuse à percussion combine l'impact au mouvement rotatif et creuse rapidement dans le béton et la maçonnerie. Pour réduire la poussière et empêcher les mèches de surchauffer, humectez l'endroit à percer avec de l'eau. La perceuse à percussion peut agir comme une perceuse traditionnelle, si elle est réglée en conséquence.

Les outils spécialisés

Pour une utilisation ponctuelle ou pour un projet d'envergure, il est possible de louer ou d'emprunter des outils spécialisés qui faciliteront votre tâche. Par exemple, vous pouvez vous servir d'une cloueuse à air comprimé pour fixer une cloison; les clous s'enfoncent d'eux-mêmes en tirant la gâchette. La location d'outils est peu coûteuse et vous fait économiser un temps précieux.

Si vous entreprenez régulièrement des travaux de menuiserie, considérez l'achat de certains outils électriques supplémentaires et nécessaire. En rénovation, l'achat d'une scie alternative sera fort utile. En menuiserie fine et en finition, une scie électrique à onglets vous permettra de réaliser des angles précis rapidement. En menuiserie générale, un plateau de sciage deviendra vite un outil indispensable.

Le fusil à clous fait exploser une petite charge de poudre qui propulse les clous à maçonnerie dans le béton ou la brique. Il est très pratique pour fixer une lisse basse à un plancher de béton.

Le plateau de sciage, ou table de sciage, et d'autres outils stationnaires sont très efficaces et ils offrent une grande précision en menuiserie générale.

La scie à onglets coupe les moulures rapidement et précisément. L'ensemble-moteur se déplace à un angle de 47° sur les côtés.

Le marteau à air comprimé, ou agrafeuse, se branche sur un compresseur. En tirant la gâchette, on libère un jet d'air qui enfonce les clous ou les agrafes dans le bois.

La scie alternative peut pratiquer des ouvertures dans les cloisons ou les planchers, là où une scie circulaire n'a pas accès. Elle peut également servir à couper les tuyaux de fonte.

Examinez le bois minutieusement avant de l'utiliser. Le bois entreposé peut gauchir en raison des variations de température et d'humidité.

Le bois

Le bois destiné à la construction provient généralement de bois tendre et il est classé en catégories selon sa qualité, son taux d'humidité et ses dimensions.

Qualité : les caractéristiques, comme les noeuds, les fentes et le sens du grain, affectent les propriétés du bois et déterminent sa qualité.

Tableau des qualités du bois

Qualité	Description et usages
SEL STR ou Select structural 1, 2, 3	Bonne apparence, résistance et force. Les numéros 1, 2, 3 indiquent la grosseur des noeuds.
CONST ou Construction STAND ou Standard	Ces deux qualités sont destinées à un usage général. Bonne force et durabilité.
STUD ou Stud	Désigne un bois raide et droit convenant aux membrures murales verticales, incluant les murs portants.
UTIL ou Utility	Utilisé pour des éléments non structuraux, comme les entre-toises ou les étais temporaires.

Le taux d'humidité : le bois est également classé selon son taux d'humidité. La mention S-DRY (ou R Sec) identifie le bois dont la teneur en humidité, lors du corroyage, ne dépassait pas 19 p. cent. Le bois S-DRY, peu sujet au gauchissement et au rétrécissement, constitue un bon choix pour les charpentes murales. La classification S-GRN (R Vert) indique que le taux d'humidité dépasse 19 p. cent.

Le bois extérieur : le bois de séquoia et le cèdre sont naturellement imputrescibles et résistent aux insectes; ils constituent un bon choix pour l'extérieur. La partie la plus résistante provient du coeur de l'arbre. Il convient de spécifier si le bois doit être en contact avec le sol.

Le bois traité avec des produits chimiques injectés sous pression résiste au pourrissement. Le bois traité est moins coûteux que le cèdre ou le séquoia. Pour les constructions extérieures, tels les patios, utilisez le bois traité pour les poteaux et les solives, et le cèdre pour le tablier et les mains courantes.

Séquoia

Bois traité

Cèdre

Construisez des structures extérieures durables avec du séquoia, du bois traité ou du cèdre. Le séquoia et le cèdre sont plus attrayants, mais beaucoup plus coûteux que le bois traité. Ces bois sont vendus dans les dimensions courantes. Le bois traité contient des produits chimiques, il est donc préférable de porter des gants et un masque antiparticules lorsqu'on le coupe.

Dimensions : le bois est vendu selon les dimensions nominales qui ont cours dans l'industrie, comme les 2 x 4 et les 2 x 6 dont la dimension réelle est légèrement inférieure.

Dimensions nominales et réelles

Nominal	Réel
1 X 4	3/4" X 3 1/2"
1 X 6	3/4" X 5 1/2"
1 X 8	3/4" X 7 1/2"
2 X 4	1 5/8" X 3 5/8"
2 X 6	1 5/8" X 5 1/2"
2 X 8	1 5/8" X 7 1/2"

Lire les marques de qualité

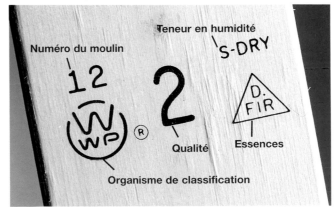

Numéro du moulin

Teneur en humidité

S-DRY

Qualité

Essences

Organisme de classification

Vérifiez l'estampillage sur le bois pour en connaître la qualité, la teneur en humidité et l'essence.

Les contreplaqués et les produits en panneaux

Contreplaqué de finition

Contreplaqué standard (pour revêtement)

Panneau de copeaux

Panneau de particules laminé

Panneau gauffré

Panneau de particules (aggloméré)

Le contreplaqué compte parmi les produits les plus utilisés. Il est constitué de plis de bois collés perpendiculairement les uns aux autres pour former des panneaux. Le contreplaqué est offert en épaisseurs variant de 1/8" à 1".

Les contreplaqués sont classés en catégories. Pour le contreplaqué d'épinette (CSP pour Canadian Soft Plywood), on retrouve le SELECT, le plus beau, le STANDARD qui sert surtout aux revêtements de toits, de murs et de sous-planchers, le DEGRADE qui contient des matériaux dégradés, le CULL dont les lamelles peuvent se décoller, et finalement le SAWCUT qui n'est pas nécessairement d'équerre. La mention DFP indique qu'il s'agit de contreplaqué de sapin Douglas. D'autre part, le contreplaqué est vendu selon son état : en bon état des deux côtés (G2S) ou d'un seul côté (G1S).

Les contreplaqués de finition ont un placage de qualité sur une face et un placage de qualité inférieure sur l'autre. Certains sont plaqués des deux côtés avec un bois de qualité supérieure.

Le contreplaqué standard, portant parfois la mention SHEATINO, présente souvent des noeuds et même des trous de noeuds. Ses deux faces ne sont pas poncées. Sur les rives, il devrait porter l'inscription COFI EXTERIOR, pour un usage extérieur. Selon l'utilisation prévue, assurez-vous avant de l'acheter que son épaisseur est conforme aux exigences du Code du bâtiment.

Les panneaux de copeaux, de particules, ou gaufrés, sont faits de copeaux comprimés et collés. Ils sont souvent utilisés pour les sous-planchers.

Les stratifiés, comme le Formica®, sont durables. Leur surface convient très bien aux dessus de comptoirs et aux meubles. Les panneaux d'aggloméré, solides et stables, sont une base idéale pour les stratifiés.

Les panneaux de styromousse sont légers et conviennent particulièrement à l'isolation des murs du sous-sol.

Le placoplâtre hydrofuge est utilisé dans les endroits humides, derrière les tuiles de céramique des salles d'eau par exemple.

Le placoplâtre, appelé également panneau sec, Gyprock®, ou cloison sèche, se vend en panneaux de 4' de large et de 8', 10' ou 12' de long. Son épaisseur est de 3/8", de 1/2" ou de 5/8".

Les panneaux de fibre, comme le Masonite®, sont faits de fibres de bois et de résines traitées à haute pression.

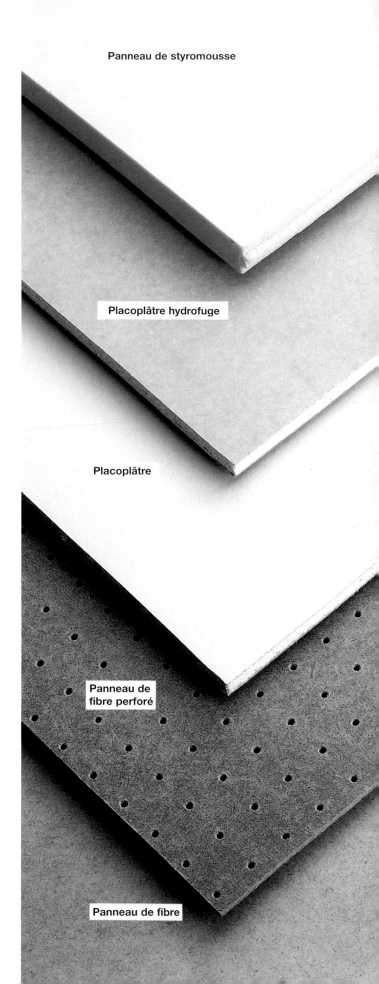

Panneau de styromousse

Placoplâtre hydrofuge

Placoplâtre

Panneau de fibre perforé

Panneau de fibre

Le coin-travail

Un bon espace de travail doit être bien éclairé avec des fluorescents d'atelier de quatre pieds. L'atelier devrait disposer d'une alimentation électrique adéquate et offrir des étagères de rangement solides pour les matériaux et les outils.

Il convient d'isoler votre coin-travail des autres pièces pour éviter la propagation du bruit et de la poussière engendrés par vos activités. Il faut également se tenir loin des fournaises à air chaud, qui pourraient absorber les vapeurs et la saleté et les propager dans toute la maison.

Tout bon bricoleur sait que le rangement des outils est essentiel. Il est recommandé de les accrocher à un panneau de fibre perforé placé au-dessus de l'établi.

Ce dont vous avez besoin :

Outils et matériaux pour un panneau d'accrochage : fusil à colle chaude, rondelles de métal, tournevis électrique et vis pour placoplâtre (pour les murs de charpente) ou perceuse avec foret à maçonnerie pour les murs de béton, panneau de fibre perforé.

Fabriquer un panneau d'accrochage d'outils

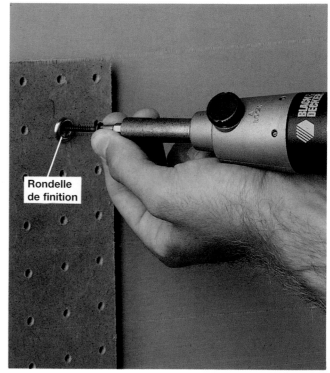

Rondelle de finition

1 À l'aide d'un fusil à colle, fixez les rondelles à l'endos du panneau. Espacez-les afin qu'elles se trouvent devant les montants, aux 16" ou aux 24". Les rondelles écartent le panneau du mur pour permettre d'insérer les crochets.

2 Placez le panneau de manière à ce que les rondelles soient vis-à-vis les montants du mur. Enfoncez les vis dans les montants, le panneau et les rondelles. Utilisez des rondelles de finition (cuvettes) si désiré. Pour les murs de béton, utilisez des ancrages pour maçonnerie.

Trucs pour accrocher les outils

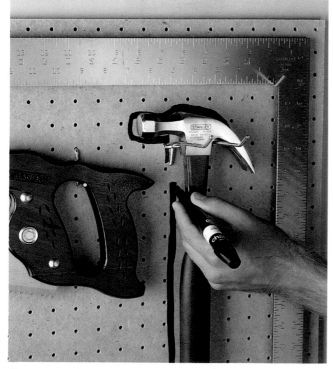

Tracez le contour des outils avec un crayon feutre pour indiquer leur place sur lc panneau.

Collez les crochets au panneau avec de la colle chaude pour les empêcher de tomber à tout moment.

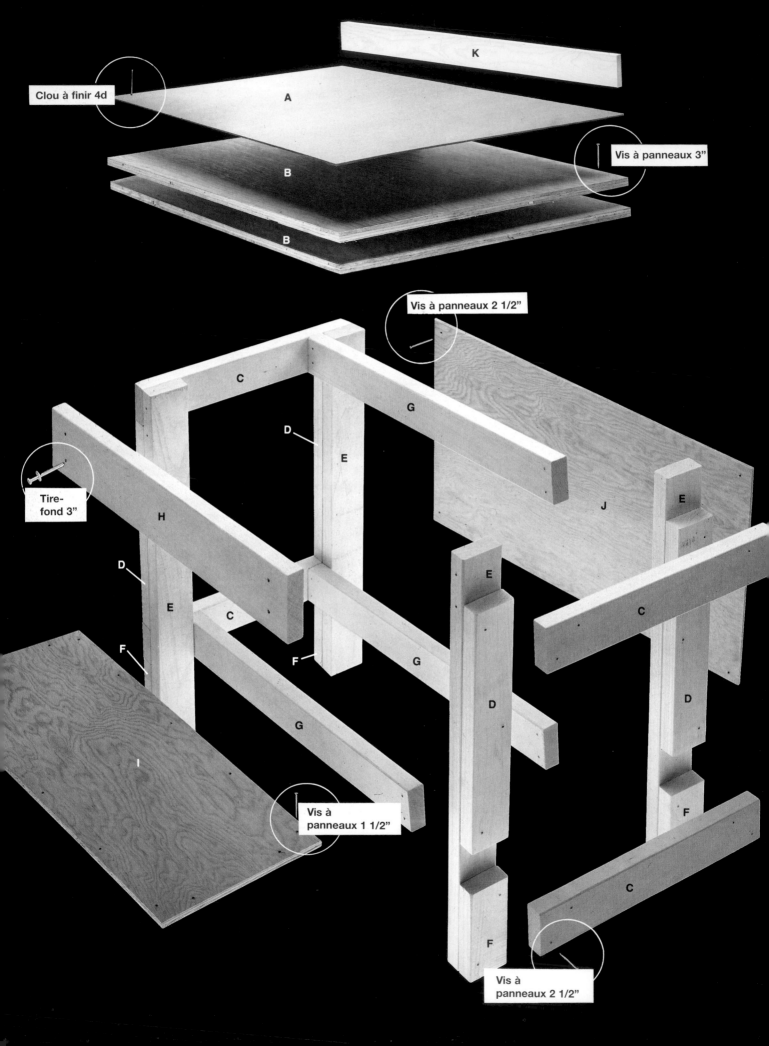

Clou à finir 4d

K

A

B

B

Vis à panneaux 3"

Vis à panneaux 2 1/2"

C

G

D

E

Tire-fond 3"

H

D

E

J

E

C

E

D

F

C

F

G

G

D

I

F

Vis à
panneaux 1 1/2"

F

C

F

Vis à
panneaux 2 1/2"

Construire un établi

Cet établi est très résistant. Il est muni de quatre pattes extrêmement solides pouvant supporter des charges très lourdes et d'un dessus double qui résiste aux coups. L'ajout d'un panneau dur de 1/8" sur celui-ci le protégera. Si ce panneau dur était endommagé, vous pourrez facilement le remplacer. Pour ranger vos outils électriques, faites une étagère sous la table de travail. Profitez-en aussi pour munir votre établi d'un étau, fixé à l'avant ou sur la table de travail, et d'un panneau troué fixé à l'avant ou audessus de l'établi.

Ce dont vous avez besoin :

Outils : scie circulaire, tournevis électrique, perceuse et forets, équerre de charpente, clé à douille à cliquet ou clé à molette.

Matériaux : vis pour panneaux muraux de 1 1/2", 2 1/2" et 3", tire-fond de 1 1/2" et 3, clous de 1 1/2".

Truc : pour fixer le porte-outils au-dessus de votre établi, assemblez les pièces du cadre. Vissez ensuite le panneau troué à l'arrière.

Liste pour le bois : 6 madriers de 2" x 4" x 8', 1 madrier de 2" x 6" x 5', 1 feuille de contreplaqué de 3/4" x 4' x 8', 1 feuille de contreplaqué de 1/2" x 4' x 8', 1 feuille de panneau de fibre (Masonite®) de 1/8" x 4' x 8'

Repère	Pièces	Format et description
A	1	pièce de panneau dur de 1/8" x 24" x 60"
B	2	pièces de contreplaqué de 3/4" x 24" x 60"
C	4	pièces de 1 1/2 x 3 1/2" x 21"
D	4	pièces de 1 1/2" x 3 1/2" x 19 3/4"
E	4	pièces de 1 1/2" x 3 1/2" x 34 1/2"
F	4	pièces de 1 1/2" x 3 1/2" x 7 3/4"
G	3	pièces de 1 1/2" x 3 1/2" x 54"
H	1	pièce de 1 1/2" x 5 1/2" x 57"
I	1	pièce de contreplaqué de 1/2" x 14" x 57"
J	1	pièce de contreplaqué de 19 1/4" x 57"
K	1	pièce de 3/4" x 3 1/2" x 57"

Construire un établi

1 Pour chacun des deux côtés, découpez deux pièces C, D, E et F. Assemblez-les avec des vis de 2 1/2" pour panneaux muraux.

2 Reliez les deux côtés de l'établi avec les pièces, ou écharpes, (G, G), à l'intérieur des pattes arrière. Utilisez des vis de 2 1/2" pour panneaux muraux.

3 Fixez la pièce de liaison, ou écharpe, (G) à l'arrière des pattes de devant. Positionnez l'étagère (I) et le panneau arrière (J) et fixez-les aux assemblages des côtés avec des vis de 2 1/2" pour panneaux.

4 Percez des avant-trous de guidage et faites tenir la pièce, ou écharpe, (H) sur l'extérieur des pattes avant à l'aide de tire-fond de 3".

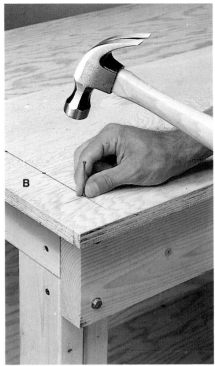

5 Centrez la première pièce de la base de contreplaqué de 3/4" (B) sur le dessus du cadre de soutien de l'établi. Alignez-la avec les lignes de repère des côtés et faites-la tenir avec des clous de 4d.

6 Déposez le deuxième panneau de la table de travail et, tout en l'alignant sur le premier (B, B), vissez-les dans le cadre de soutien avec des vis de 3" à panneaux.

7 Clouez le panneau de fibre Masonite® (A) sur son assise de contreplaqué (B, B) avec des clous à finir de 1 1/2". Enfoncez-les sous la surface avec un chasse-clou.

Fixer un étau sur l'établi

1 Positionnez l'étau sur le bord de l'établi. Faites des trous de repère sur la plaque de l'étau. Percez des avant-trous de 1/4" avec une perceuse.

2 Faites tenir l'étau en place en utilisant des tire-fond de 1 1/2". Fixez le dosseret (K) de l'établi avec des vis de 2 1/2" à panneaux.

Les chevalets

Les chevalets sont utilisés pour supporter les matériaux durant le marquage et le sciage. Ils peuvent également servir d'échafaudage temporaire lorsque vous peinturez ou installez des panneaux muraux. Pour faire la passerelle, placez deux pièces de 2 x 10 ou de 2 x 12 côte à côte sur deux chevalets solides. Les chevalets repliables sont très utiles, si l'espace de rangement est limité.

Ce dont vous avez besoin :

Outils et matériaux : 4 longueurs de 8' de 2 x 4, vis à murs secs de 2 1/2", scie circulaire, équerre de charpente, tournevis électrique.

Liste de débitage du bois

Id.	Pièces	Description
A	2	Supports verticaux, 2 X 4, 15 1/2"
B	2	Traverses supérieures, 2 X 4, 48"
C	1	Traverse inférieure, 2 X 4, 48"
D	2	Entretoises, 2 X 4, 11 1/4"
E	4	Pattes, 2 X 4, 26"

Des chevalets faciles à ranger

Pliez les chevalets métalliques et suspendez-les dans l'atelier pour libérer l'espace.

Achetez des supports métalliques ou en fibre de verre. Coupez une traverse supérieure de 48" et quatre pattes de 26" dans des pièces de 2 x 4. Démontez les chevalets pour les ranger.

Construire un chevalet très résistant

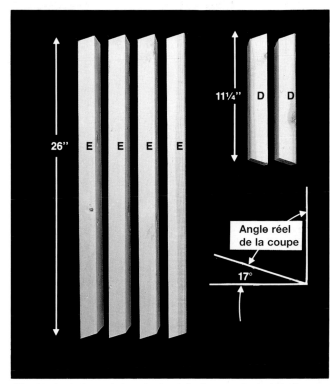

1 Un bon chevalet résistant possède un dessus large pour supporter les grosses pièces. Coupez les supports verticaux (A), les traverses supérieures (B) et la traverse inférieure (C).

2 Ajustez la lame de la scie circulaire à un angle de 17°. (La coupe suivra l'angle illustré ci-contre.) Coupez les extrémités des entretoises (D) à angles opposés. Coupez les extrémités des pattes (E) à angles parallèles.

Dans l'image 2: 26", 11¼", D D, E E E E, **Angle réel de la coupe**, 17°

3 Fixez les traverses verticales (B) aux supports verticaux (A) avec des vis de 2 1/2", tel qu'illustré.

4 Fixez les entretoises (D) aux supports verticaux (A) avec des vis de 2 1/2". Fixez ensuite les pattes (E). Pour terminer l'assemblage, vissez la traverse inférieure (C) aux entretoises (D).

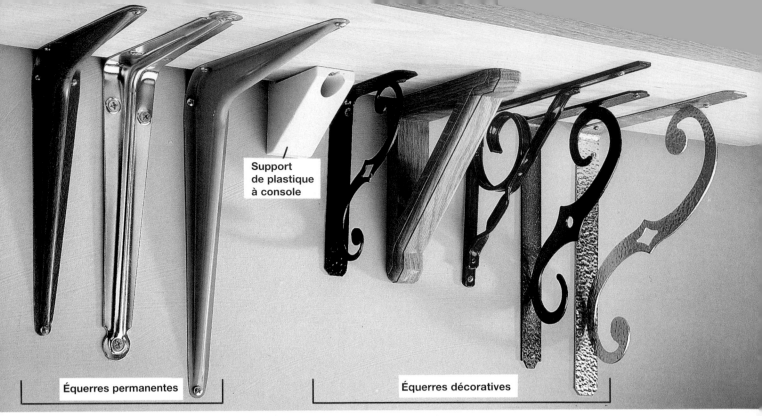

Support de plastique à console

Équerres permanentes

Équerres décoratives

Les équerres permanentes existent en différents modèles, de l'utilitaire à la décorative, et en nombreux formats. Choisissez celles qui ont un support diagonal, ce sont des modèles résistants. Lors de l'installation, fixez le bras le plus long au mur.

Des étagères prêtes à monter

Les tablettes doivent être fixées directement aux montants des murs; elles n'en seront que plus solides. Si les équerres ou les cornières doivent être fixées entre les montants, utilisez des fixations pour cloisons creuses et respectez les limites de poids établies par le fabricant. Pour les murs de ciment ou de blocs, utilisez des ancrages à maçonnerie pour fixer les équerres.

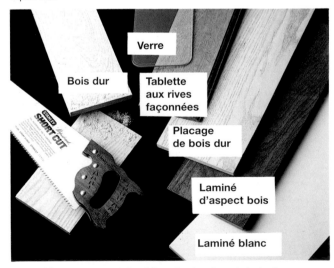

Verre

Bois dur

Tablette aux rives façonnées

Placage de bois dur

Laminé d'aspect bois

Laminé blanc

Les tablettes peuvent être faites de planches de bois dur, verre décoratif, planche façonnée, planche d'aggloméré recouverte d'un placage, laminé de plastique d'aspect bois ou laminé blanc.

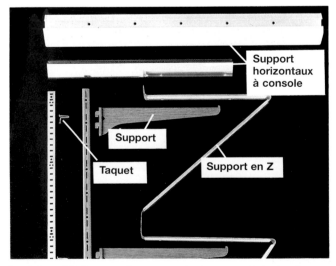

Support horizontaux à console

Support

Taquet

Support en Z

La quincaillerie usuelle comprend : des supports horizontaux à console, des supports en Z, des supports réglables et des taquets.

Fixer les supports d'étagères

Fixez les supports aux montants si c'est possible. Employez un détecteur de montants afin de déterminer leur emplacement. Pour les charges importantes, fixez un support à chaque montant.

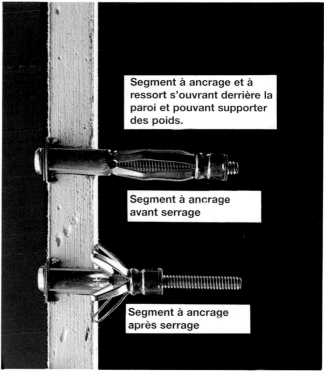

Segment à ancrage et à ressort s'ouvrant derrière la paroi et pouvant supporter des poids.

Segment à ancrage avant serrage

Segment à ancrage après serrage

Fixez la quincaillerie entre les montants avec des segments à ancrage ou à ressort. Respectez les limites de poids indiquées par le fabricant.

Pour fixer les supports aux murs de maçonnerie, utilisez des ancrages de plomb et des vis. Disposez les supports aux 16" ou aux 24", selon le poids prévu sur les tablettes.

Utilisez un niveau pour vous guider lors de l'installation des supports. Au besoin, prenez un morceau de bois pour les portées très longues.

Des étagères simples

On peut installer des étagères solides très rapidement en utilisant des crémaillères métalliques et des supports réglables. À l'aide d'un détecteur de montants, trouvez l'endroit où fixer les crémaillères afin d'obtenir un support adéquat. De longues étagères devraient être supportées par des crémaillères aux 48 pouces.

Rehaussez l'aspect extérieur en insérant les crémaillères dans des mortaises pratiquées dans les montants de bois. Une toupie vous permettra de réaliser les rainures appropriées dans les languettes de bois. Vous n'aurez qu'à placer les bandes métalliques dans les montants pour ensuite les fixer au mur. La toupie peut également servir à façonner les rives des tablettes.

Ce dont vous avez besoin :

Outils et matériaux : scie, languettes de bois dur de 1 x 2, planches de 1 x 8, toupie avec une mèche droite, support d'outils portatifs, crémaillères métalliques, perceuse et forets, vis de 3".

Fabriquer et suspendre des étagères

1 Coupez les tablettes de bois dur de 1 x 8 à la longueur désirée. Coupez des languettes de bois de 1 x 2 de la même longueur que les crémaillères. Placez ces dernières sur les languettes et tracez-en le contour.

2 Creusez la rainure au centre de chaque languette à l'aide d'une toupie et d'une mèche droite. Utilisez un support d'outils portatifs pour être précis. Effectuez plusieurs passes jusqu'à ce que la rainure ait les mêmes dimensions que la crémaillère.

3 Glissez les crémaillères dans les rainures et percez des avant-trous dans les languettes aux emplacements des vis.

4 Fixez les crémaillères au mur avec des vis de 3". Prenez un niveau pour vérifier l'aplomb des montants et l'égalité des supports. Fixez les supports et déposez les tablettes.

Les étagères intégrées

Des étagères permanentes peuvent être installées là où le rangement est nécessaire. C'est une pratique courante d'utiliser l'espace qui se trouve entre une porte ou une fenêtre et un mur adjacent afin d'y installer une bibliothèque.

Les modules d'étagères peuvent être fabriqués avec n'importe quel bois de 1" d'épaisseur, à l'exception des panneaux de particules qui gauchissent dès que le poids devient important. Pour des poids lourds, comme les livres, les étagères devraient être faites de planches de bois dur de 1 x 10 ou de 1 x 12 ayant une portée d'au plus 48". Les étagères peuvent être supportées par des taquets ou des chevilles.

Ce dont vous avez besoin :

Outils et matériaux : ruban à mesurer, scie, équerre de charpente, planches de bois dur de 1 x 10 ou de 1 x 12, bois de 2 x 2, panneau de fibre perforé, perceuse avec un foret de 1/4", peinture ou teinture, marteau, clous à finir de 6d, clous communs de 12d, moulures, chasse-clou.

Truc : construisez le bâti de la bibliothèque 1" plus court que la mesure entre le plancher et le plafond. Cela vous permettra de faire basculer l'ensemble sans endommager ce dernier. Les moulures serviront à combler la différence.

Construire une étagère intégrée

Coupe de la moulure

Coupe de la moulure

1 Mesurez la hauteur et la largeur de l'espace disponible. Pour en faciliter l'installation, l'unité devrait mesurer 1" de moins que la hauteur totale. Enlevez les moulures et coupez-les pour faire place à la nouvelle installation. Replacez les moulures à la fin des travaux.

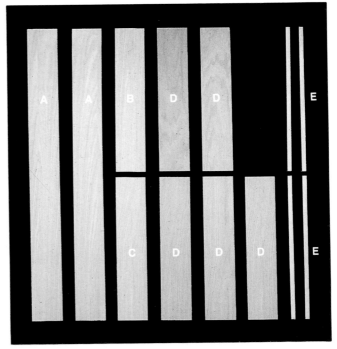

2 Marquez et coupez : les deux côtés (A) un pouce plus court que la hauteur entre le plancher et le plafond; le dessus (B), la base (C) et les tablettes (D), chaque morceau étant 1 1/2" plus court que la largeur de l'unité; 4 supports de 2 x 2 (E), toujours 1 1/2" plus court que la largeur prévue.

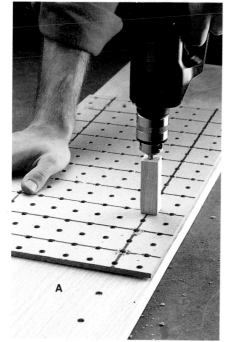

3 À l'aide d'un morceau de panneau perforé, percez des trous de 1/4" de diamètre le long des montants latéraux (A), espacés de 9" à l'horizontale et de 2" à la verticale. Ces trous devraient avoir une profondeur de 3/8". Faites-vous un guide de profondeur avec une pièce de rebut ou un morceau de ruban-cache sur le forêt.

4 Appliquez la peinture ou la teinture avant l'assemblage. Fixez les côtés (A) aux supports (E). Enfoncez des clous de 6d aux extrémités.

5 Poussez le tout contre le mur. Clouez les supports arrière (E) aux montants et les supports du bas au plancher avec des clous de 12d. Replacez les moulures le long du mur.

6 Fixez le bas (C) et le dessus (B) à l'intérieur du bâti avec des clous à finir de 6d.

7 Coupez les moulures du haut et du bas pour qu'elles s'ajustent à la façade. Fixez-les avec des clous à finir de 6d. Enfoncez-les avec un chasse-clou.

Les penderies encastrées

Un système de rangement peut vous permettre de doubler la capacité de vos placards en un tour de main. Acheter un tel système peut coûter assez cher, et vous serez surpris de ce que vous pouvez réaliser avec une simple feuille de contreplaqué, quelques morceaux de 1 x 3 et une tringle.

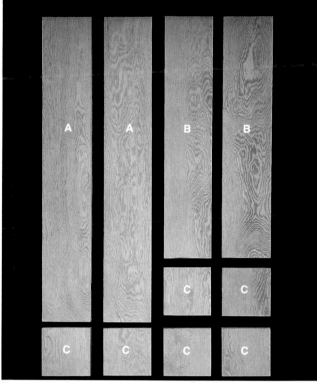

Une seule planche de contreplaqué vous permettra de débiter : deux côtés de 11 7/8" de largeur (A), deux longues tablettes de 11 7/8" de large (B) et six tablettes de 11 7/8" de côté.

Ce dont vous avez besoin :

Outils et matériaux : marteau, clous à finir (6d et 8d), bois de 1 x 3, une feuille de 4 x 8 de contreplaqué de 3/4" d'épaisseur, ruban à mesurer, équerre de charpente, scie circulaire, tringle, six supports à tringles, tournevis, peinture ou

Construire une penderie intégrée

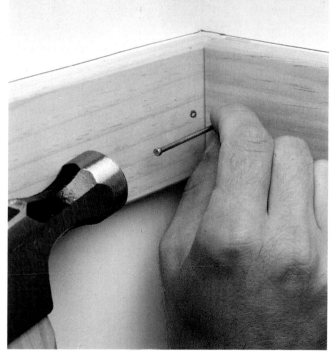

1 Coupez les supports de tablettes dans des planches de 1 x 3 en nombre suffisant pour qu'ils fassent le tour de la penderie. Fixez les supports supérieurs à 84" du plancher avec des clous à finir de 8d enfoncés dans les montants.

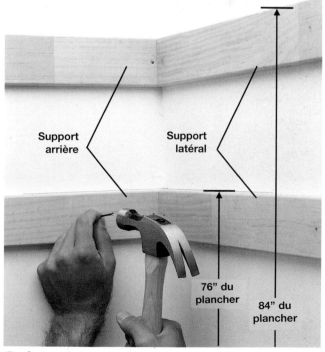

2 Coupez d'autres supports que vous fixerez 76" audessus du plancher avec des clous à finir de 8d enfoncés dans les montants.

3 Coupez des tablettes de 11 7/8" de large (B) dans la feuille de contreplaqué de 3/4" d'épaisseur, à la longueur du placard.

4 Marquez et coupez deux montants de 76" x 11 7/8" (A) dans la feuille de contreplaqué de 3/4" d'épaisseur..

5 Mesurez et coupez six tablettes de 11 7/8" de côté dans la feuille de contreplaqué de 3/4" d'épaisseur..

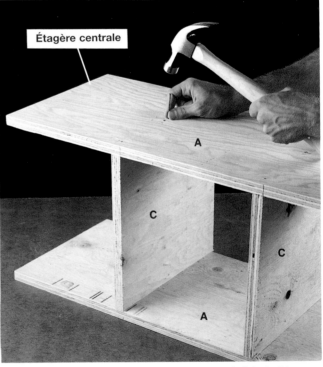

Étagère centrale

6 Assemblez l'étagère centrale avec des clous à finir de 6d. Espacez les tablettes selon vos besoins tout en laissant le dessus ouvert.

Étagère centrale

Support de tablette

7 Placez l'étagère centrale à sa place et entaillez les montants (A) pour qu'ils contournent le support mural inférieur.

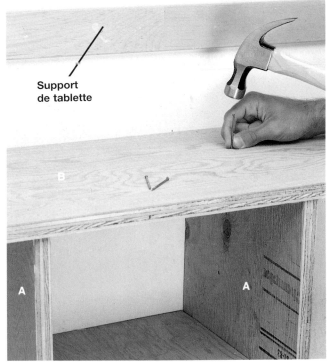

Support de tablette

8 Déposez la longue tablette (B) sur les supports inférieurs et sur les côtés (A) de l'unité centrale. Clouez avec des clous à finir de 6d.

À 3" de la tablette

9 Vissez le support de tringle au côté (A) de l'unité centrale à 11" du mur et à 3" sous la tablette supérieure. Fixez l'autre extrémité au mur avec les ancrages appropriés. Si désiré, installez des supports pour une tringle inférieure à 38" du sol.

La penderie encastrée vous permettra un accès facile aux objets entreposés. Les souliers, les couvertures et les chandails trouveront naturellement leur place dans l'unité centrale.

Les supports en U tiennent le bois au sec et permettent la circulation d'air, ce qui évite le gauchissement.

Les étagères d'atelier

La construction d'étagères simples est une façon pratique d'organiser le rangement dans l'atelier, le garage, le sous-sol ou le grenier. Les montants en forme d'échelle sont solides et ils peuvent être combinés à des tablettes de contreplaqué de 1/2" ou de 3/4" d'épaisseur. Fixez l'étagère au mur avec des vis ou des ancrages à maçonnerie, selon le cas.

    Pour entreposer le bois au sous-sol ou dans le garage, construisez un rangement suspendu avec des supports en U constitués de planches de 1 x 4. Ce rangement permet de garder le bois sec et plat. Le fait de suspendre ces supports vous permet une utilisation maximale de l'espace.

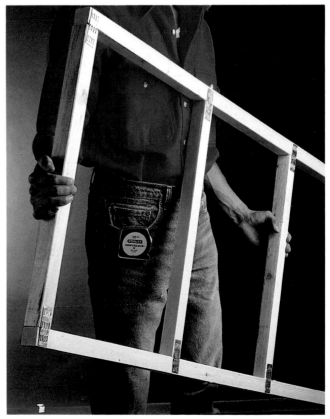

Achetez des montants à échelons préassemblés si le temps vous presse ou fabriquez-les avec du bois de 2 x 2.

Ce dont vous avez besoin :

Outils et matériaux pour l'étagère d'atelier : bois de 2 x 2, ruban à mesurer, scie, niveau de menuisier, rebuts de contreplaqué de 3/8", colle à bois, vis de 1" et de 3", tournevis électrique, contreplaqué de 1/2" ou de 3/4" d'épaisseur.

Outils et matériaux pour supports à bois : planches de 1 x 4, ruban à mesurer, scie, connecteurs métalliques, vis de 1", tournevis électrique, perceuse et foret de 1/4", tire-fond de 1 1/2".

Construire des étagères d'atelier

1 Pour fabriquer les supports latéraux, coupez les montants et les traverses dans du bois de 2 x 2. Les traverses doivent avoir 3" de moins que la largeur des tablettes.

2 Assemblez les montants et les traverses avec des goussets de 4 1/2" coupés dans du contreplaqué de 3/8", ou utilisez des connecteurs métalliques. Fixez les goussets avec de la colle et des vis de 1" afin d'obtenir un assemblage rigide.

3 Fixez l'étagère à la charpente du mur avec des vis de 3". Le cas échéant, utilisez des ancrages pour maçonnerie.

4 Coupez les tablettes dans du contreplaqué de 1/2" ou de 3/4". Avec une scie sauteuse, taillez des encoches de 1 1/2" de côté pour contourner les montants des supports.

Fabriquer des supports à bois

1 Mesurez la hauteur, la largeur et la longueur du rangement désiré. Dans le garage, assurez-vous que les supports se trouveront au-dessus du capot de la voiture. Ce type de rangement demande un support en U aux quatre pieds.

2 Dans des planches de 1 x 4, coupez deux pattes et une traverse pour chaque support en U. Les traverses doivent avoir 7" de moins que la largeur totale du support de rangement.

3 Assemblez les montants aux traverses avec des connecteurs métalliques et des vis de 1".

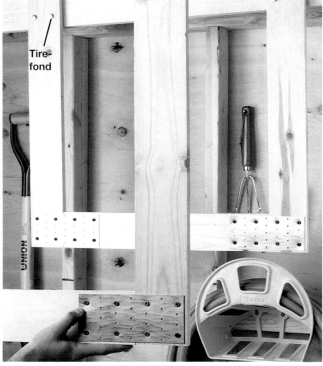

Tire-fond

4 Percez des avant-trous de 1/4" dans le haut des montants et dans les solives du plafond. Fixez les supports avec des tire-fond de 1 1/2". Pour les plafonds recouverts, fixez des morceaux de 2 x 4 au plafond et attachez-y les supports.

Planifier une rénovation

Quel que soit votre projet de rénovation, commencez toujours par en tracer un plan détaillé sur du papier quadrillé; vous aurez ainsi une vue d'ensemble des travaux à effectuer et vous saurez exactement quels matériaux acheter. Pour vous faciliter la tâche, reproduisez votre plan à l'échelle, par exemple 1" = 1'. À l'aide de ce plan, vous pourrez établir une liste des outils et des matériaux nécessaires. Cette liste vous permettra également de comparer les prix et d'évaluer les coûts du projet.

Avant d'entreprendre les travaux, vous devrez peut-être soumettre votre projet au service d'inspection des bâtiments de votre localité. Les modifications aux systèmes électrique, de plomberie et de chauffage nécessitent généralement des permis distincts. Si vous devez demander de tels permis, présentez un plan détaillé des travaux et une liste des matériaux nécessaires au service d'inspection concerné. Assurez-vous que les inspections d'étapes soient effectuées; un inspecteur pourrait exiger que vous démolissiez un mur afin de vérifier si les connexions sont bien faites.

Tracez un plan détaillé à l'échelle, par exemple 1" = 1'. Décrivez toutes les mesures des ouvertures et la position des installations électriques et de plomberie. Indiquez les matériaux qui seront utilisés. Soumettez le plan et la liste des matériaux nécessaires lors de la demande de permis.

Faites une représentation grandeur nature des travaux en traçant les contours du projet avec du ruban-cache et en indiquant les emplacements des murs et des portes. Vous aurez alors une bonne idée des résultats.

Les outils et les matériaux courants en rénovation

Bois fourrures de 1 x 2, bois de charpente (2 x 2, 2 x 4, 2 x 6), cales de bois, moulures extérieures pour portes et fenêtres, moulures et quart-de-rond.

Contreplaqué et panneaux : panneau de gypse de 1/2" d'épaisseur (feuilles de 4 x 8 et de 4 x 12), gypse de 3/8", gypse hydrofuge, contreplaqué standard, contreplaqué de finition (1/2" et 3/4" d'épaisseur), panneau de 3/4" en particules, panneaux de bois, isolant en panneaux, isolant de fibre de verre an rouleau, planches Sound Stop®.

Attaches clous communs (4d, 8d, 16d), clous à finir (4d, 6d, 8d), clous à béton, clous pour mur sec (1 1/2", 2 1/2", 3"), tire-fond, ancrages à maçonnerie, ancrages Grip-it®, ancrages muraux, connecteurs isolés.

Adhésifs : colle pour panneaux, colle de construction, bâtons de colle chaude, colle à bois.

Divers : portes intérieures et fenêtres préassemblées, serrure, pâte et ruban à joints, peinture, papier peint, prises et interrupteurs, raccords de plomberie, escabeau, chevalets.

Outils manuels : marteau à panne fendue de 16 onces, marteau pour mur sec, barre-levier, tournevis (droit, Phillips), équerre de charpente, équerre à combinaison, équerre à panneaux, niveau de menuisier, fausse équerre, serres, ruban à mesurer, cordeau de marquage et fil à plomb, détecteur électronique de montants, crayon de menuisier, couteau tout-usage, scie à tronçonner, scie à dos et boîte à onglets, scie à métaux, scie à chantourner, rabot, couteaux à mur (6 et 10 pouces), pistolet à calfeutrer.

Outils électriques : scie circulaire et lames, scie sauteuse et lames, toupie et mèches, perceuse à vitesse variable et forets, tournevis sans fil, ponceuse et papier abrasif, rallonge.

Extras : permis de construction, location d'outils, entrepreneurs électricien et de plomberie.

Ériger et finir une cloison intérieure par étapes

1 Installez la sablière. L'insonorisation des murs implique une technique légèrement différente.

2 Installez la lisse basse. Pour aligner la sablière et la lisse, utilisez un fil à plomb.

3 Installez les montants à l'aide de connecteurs métalliques ou en clouant de biais.

4 Construisez le cadre requis pour recevoir une porte préassemblée pourvue de ses jambages. L'ouverture de la porte doit excéder celle-ci de 3/8". Pour procurer une plus grande stabilité au mur lors de l'ouverture de la porte, doublez les poteaux de chaque côté.

5 Installez les tuyaux de plomberie et les câbles dans le mur. Protégez-les des clous et des vis en les recouvrant de lisières métalliques.

6 Installez les panneaux muraux; des panneaux de 1/2" conviennent généralement. Tirez les joints, s'il s'agit de panneaux de gypse.

7 Installez la porte préassemblée; elles sont vendues pourvues de leurs jambages et de leur cadre biseauté.

8 Installez les moulures du cadrage. Appliquez la teinture ou la peinture, selon le cas.

Construire une cloison intérieure

Les cloisons ne supportent généralement que leur propre poids, elles sont donc plus simples à ériger que les murs portants ou extérieurs. Une cloison intérieure simple est constituée d'une sablière clouée au plafond, d'une lisse fixée au plancher et de montants espacés de 16" ou de 24".

Évaluez le nombre de montants requis selon leur espacement, spécifié par le code de construction de votre municipalité, et ajoutez à cela la quantité de bois nécessaire à la sablière, à la lisse, aux entretoises, ainsi qu'au cadrage des portes.

Ce dont vous avez besoin :

Outils et matériaux : détecteur électronique de montants, pièces de 2 x 4, ruban à mesurer, marteau, scie circulaire, fil à plomb, équerre à combinaison, clous communs (4d, 6d, 8d et 16d), connecteurs métalliques plats et étriers, pistolet à calfeutrer, colle de construction, clous à béton de 8d.

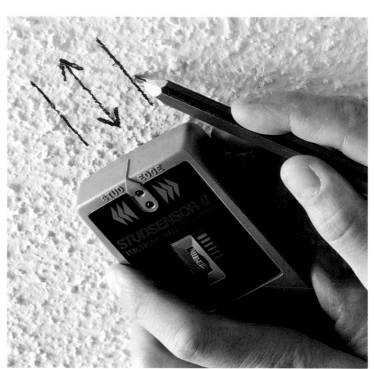

1 Utilisez un détecteur électronique pour déterminer l'emplacement des solives du plafond. Marquez leur emplacement et leur orientation. S'il y a des entretoises, faites également des marques de repère.

Fixer la nouvelle cloison à la charpente

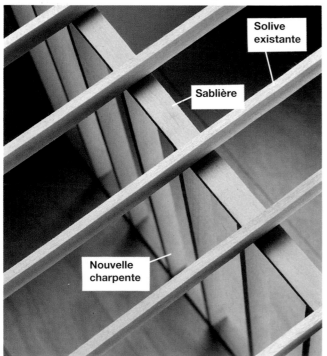

Clouez la nouvelle charpente directement aux solives, si la cloison est perpendiculaire à celles-ci.

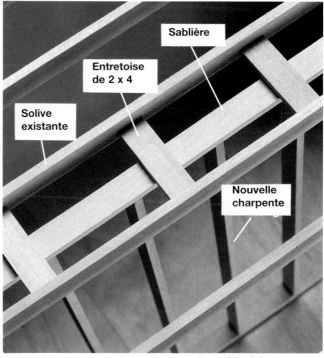

Installez des entretoises entre les solives si la cloison est parallèle à ces dernières; elle ne doit pas se trouver directement en dessous. Fixez les entretoises avec des clous de 8d. Les entretoises servent de surface d'ancrage pour la nouvelle cloison. S'il n'y a pas d'accès pour installer des entretoises, fixez la cloison directement à une solive.

2 En mesurant à partir du mur existant, marquez l'emplacement de la sablière.

3 Coupez la sablière et la lisse basse. Placez-les côte à côte et marquez l'emplacement des montants tous les 16" ou 24", selon les exigences du Code de construction.

4 Avec une équerre à combinaison, tirez une ligne sur l'emplacement des montants et faites un "X" au crayon. Faites une marque au bout des pièces pour les installer toutes dans le même sens.

5 Fixez la sablière au plafond en la clouant aux solives ou aux entretoises avec des clous de 16d.

Fixer la nouvelle cloison à la charpente (suite)

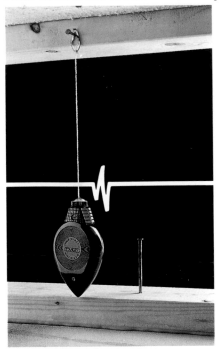

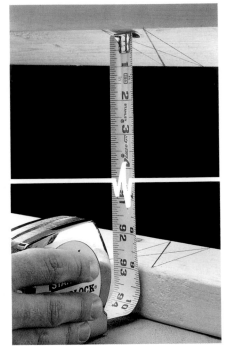

6 Pour placer la lisse, tenez un fil à plomb sur un côté de la sablière et descendez le plomb tout près du sol. Lorsque le plomb s'immobilise, marquez l'emplacement de la lisse sur le sol et placez-la.

7 Pour fixer une lisse sur un plancher de béton, enduisez-la de colle et enfoncez-y des clous à béton aux 16". Sur les planchers de bois, clouez la lisse aux 16" avec des clous de 8d.

8 À l'emplacement de chaque montant, mesurez la distance entre la sablière et la lisse. Avec une scie circulaire, coupez les montants. L'inégalité de certains planchers ou plafonds fera légèrement varier la longueur des montants.

Marque

9 Placez les montants à l'aide d'un marteau. Alignez-les sur les marques.

10 Fixez les montants avec des étriers et des clous de 6d ou de 8d.

Variante : vous pouvez également fixer les montants en les clouant en biais, par le côté, à un angle de 45°.

Faire les coins

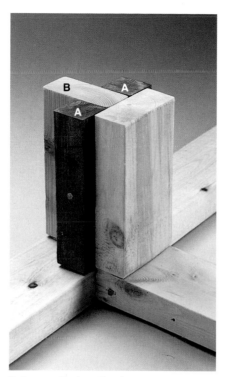

Coins en L : clouez des cales d'espacement (A) entre les montants des bouts. Clouez un montant supplémentaire (B) sur les cales; il servira de base de clouage des panneaux muraux dans les coins.

Coins en T : installez des appuis de 2 x 2 (A) de chaque côté du montant (B). Ces appuis serviront au clouage des panneaux.

Coins en T entre les montants : avec des vis, installez une planche d'appui de 1 x 6 (A) au montant du bout (B); cet appui servira de base de clouage des panneaux muraux.

Installer des tuyaux dans la charpente

1 Percez les montants avec une mèche à bois ou un emporte-pièce afin de faire passer les tuyaux ou les fils.

2 Couvrez le passage des fils, ou des tuyaux, de lisières métalliques en les clouant aux montants; vous éviterez ainsi d'endommager les conduits et les fils avec des vis ou des clous.

Sablière

Potelet

Linteau

Montant

Montant secondaires

Lisse

Fabriquer un cadre de porte

Porte assemblée

Jambages

Moulures précoupées

Utilisez des pièces de bois sèches et droites pour encadrer les portes assemblées en usine. En employant du bois de qualité, le cadre ne gauchira pas et la porte ne se déformera pas.

Commencez par l'achat d'une porte préassemblée. La plupart d'entre elles mesurent 32" de largeur, mais elles existent aussi en d'autres dimensions. Calculez ensuite les mesures de l'ouverture à pratiquer et construisez le cadre.

Généralement, les portes ont 80" de hauteur. Allouez une marge supplémentaire de 3/8" pour ajuster l'aplomb et le niveau de la porte. Coupez des montants secondaires de 80 7/8" et placez le bas du linteau à une hauteur de 82 3/8". Note : installez la porte après la pose des panneaux muraux.

Ce dont vous avez besoin :

Outils et matériaux : porte préassemblée, ruban à mesurer, 2 x 4, équerre de charpente, clous communs de 8d, étriers de métal, égoïne.

Faire un cadre pour une porte préassemblée

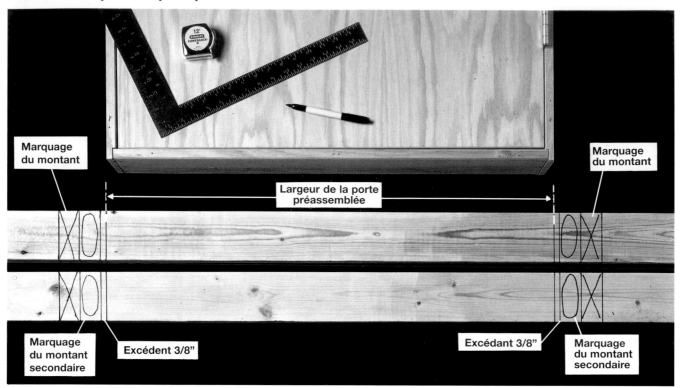

Marquage du montant

Marquage du montant

Largeur de la porte préassemblée

Marquage du montant secondaire

Excédent 3/8"

Excédant 3/8"

Marquage du montant secondaire

1 Déposez la porte près de la sablière et de la lisse, tel qu'illustré. Mesurez la largeur de l'unité, y compris l'extérieur des jambages. Marquez la sablière et la lisse. N'oubliez pas d'ajouter un jeu de 3/6" de chaque côté. Tracez des marques de 1 1/2" pour les montants principaux et secondaires.

2 Installez la sablière et la lisse. Ne clouez pas la lisse dans l'espace compris entre les montants bordant la porte. Cette portion devra être enlevée.

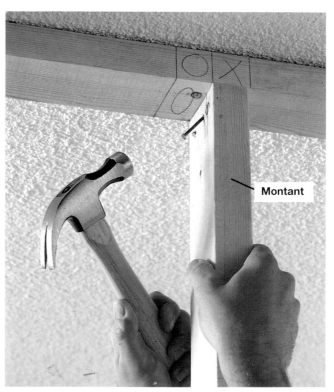

Montant

3 Mesurez, coupez et installez les montants à l'endroit marqué d'un (x) Clouez en biais à un angle de 45° ou utilisez des étriers de métal.

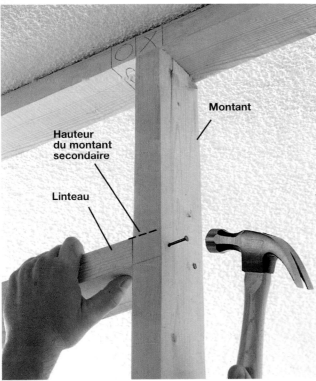

4 Marquez sur les montants la hauteur des montants secondaires. Clouez le linteau en place à 82 3/8".

5 Installez le potelet sur le linteau, à mi-chemin entre les montants. Clouez-le en biais à la sablière et dans le linteau.

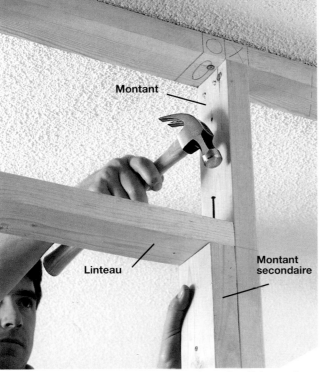

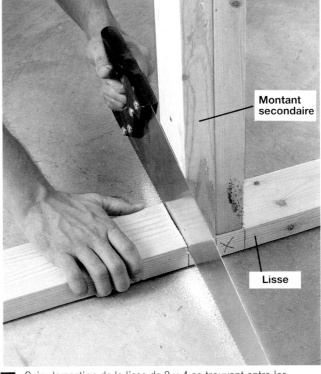

6 Placez les montants secondaires et clouez-les. Enfoncez des clous dans le linteau pour fixer le haut des montants solidement.

7 Sciez la section de la lisse de 2 x 4 se trouvant entre les montants secondaires et enlevez-la.

Installer le placoplâtre

Les panneaux de placoplâtre sont généralement offerts en dimensions de 4 x 8 et de 4 x 12 pieds et leur épaisseur varie de 3/8" à 1". Pour faciliter leur installation, utilisez de préférence des feuilles de 4 x 8 et de 1/2" d'épaisseur. Pour une protection accrue contre le feu, là où les codes de construction l'exigent, ou pour une meilleure insonorisation, employez des feuilles de 5/8".

À l'aide d'un marteau à tête bombée, fixez les panneaux muraux avec des clous annelés pour placoplâtre. Il est également possible de les installer avec de la colle et des vis pour panneau L'adhésif permet de pallier certains problèmes de charpente, en plus d'offrir une surface plane qui empêche les têtes de clous de ressortir.

Les panneaux de placoplâtre sont biseautés sur leur longueur, offrant ainsi un joint légèrement en retrait entre les panneaux; ce qui permet de les couvrir avec du ruban et de la pâte à joints. La finition des panneaux aboutés est difficile, il est donc préférable d'éviter ce genre de joints autant que possible.

Ce dont vous avez besoin :

Outils et matériaux : règle, marteau, panneaux de placoplâtre de 4 x 8, ruban à mesurer, équerre à panneaux, couteau, scie à placoplâtre, scie sauteuse, coupe-cercle, échafaudage, marteau à panneaux, clous à panneaux, tournevis électrique, vis à panneaux de 1 1/4", levier à panneaux, adhésif, pistolet à calfeutrer.

Truc : avant l'installation, inspectez minutieusement les panneaux pour détecter les coins endommagés et les fentes. Les panneaux endommagés sont plus difficiles à installer et posent des problèmes de finition.

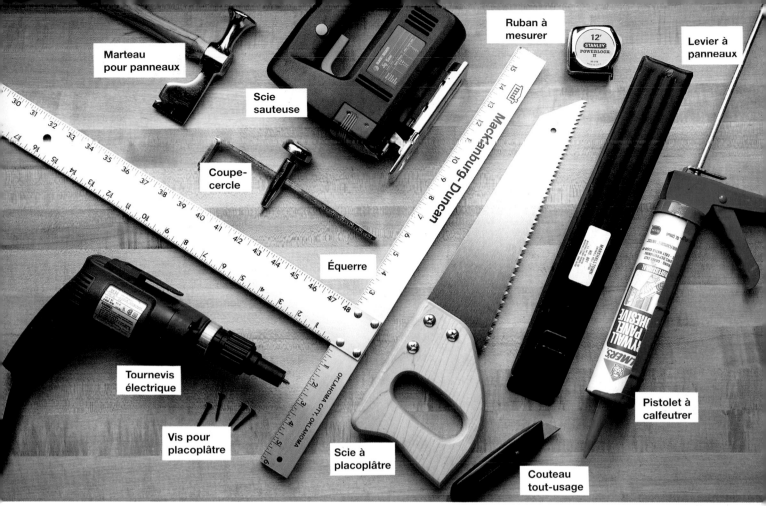

Marteau pour panneaux

Scie sauteuse

Coupe-cercle

Ruban à mesurer

Levier à panneaux

Équerre

Tournevis électrique

Vis pour placoplâtre

Scie à placoplâtre

Couteau tout-usage

Pistolet à calfeutrer

Les outils pour l'installation des panneaux sont : le marteau à panneaux avec une tête bombée (pour enfoncer les têtes des clous), la scie sauteuse, le ruban à mesurer, le levier à panneaux (pour les mettre en position), le pistolet à calfeutrer et la colle à panneaux, le couteau tout-usage, la scie à placoplâtre (pour les contours des fenêtres et des portes), l'équerre à panneaux, les vis et le tournevis électrique à débrayage (pour ajuster la profondeur), et le coupe-cercle (pour pratiquer les ouvertures des boîtes électriques).

Préparer la surface pour la pose des panneaux

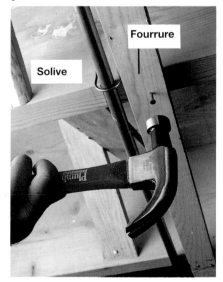

Solive

Fourrure

1 Vérifiez la rectitude des montants à l'aide d'un niveau d'au moins quatre pieds de longueur. Remplacez les montants croches.

2 Vérifiez s'il y a des éléments protubérants, comme des conduits d'eau ou de ventilation. Installez des fourrures sur la charpente pour obtenir une surface plane ou déplacez les obstacles.

3 Marquez l'emplacement des montants au sol avec un crayon ou du ruban-cache; vous saurez ainsi où enfoncer les clous.

Couper le placoplâtre

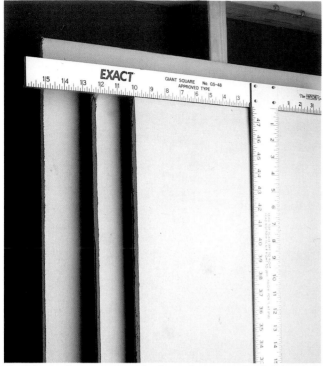

1 Déposez les panneaux debout pour les couper, le côté doux à l'extérieur. Coupez et installez les panneaux un à un.

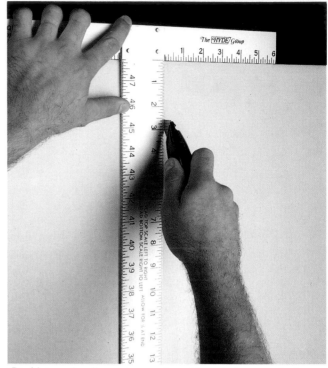

2 Mesurez les dimensions voulues. Placez la lame courte de l'équerre en (T) à panneaux sur la rive. Faites un trait au couteau en l'appuyant sur l'équerre pour couper le papier.

3 Pliez des deux mains la section à installer pour briser l'âme de plâtre. Dépliez la pièce de rebut et coupez l'envers de papier pour séparer les morceaux.

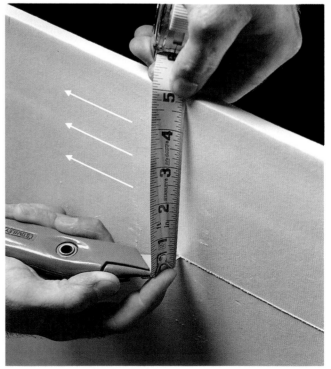

Pour les coupes horizontales, déroulez le ruban à mesurer à la largeur voulue et appuyez le couteau sur l'angle à l'extrémité du ruban. Tenez fermement le ruban d'une main et le couteau de l'autre. Déplacez vos mains le long du panneau pour couper le papier de surface.

Faire des encoches et des ouvertures

1 Avec une scie à placoplâtre, coupez les côtés courts de l'encoche. Cette scie possède de grosses dents espacées qui coupent rapidement sans bloquer.

2 Coupez le papier de l'autre côté avec le couteau. Puis, brisez l'âme de plâtre tel qu'illustré. Coupez le papier de l'endos pour séparer les pièces.

Pratiquez les ouvertures des prises, des interrupteurs et des conduits de chauffage, en faisant des coupes en plongée avec une scie sauteuse munie d'une lame à bois à denture grossière.

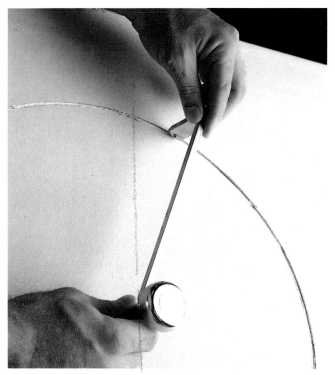

Faites des coupes circulaires pour les boîtes de luminaires et les ventilateurs à l'aide d'un coupe-cercle ajustable. Déterminez d'abord le point central de l'ouverture et utilisez ensuite l'outil pour couper les deux faces du panneau. Frappez légèrement la pièce entaillée avec un marteau pour la dégager.

Installer le placoplâtre au plafond

1 Installez les panneaux au plafond avant ceux des murs. Marquez l'emplacement des solives sur la sablière pour vous guider lors du clouage. Demandez de l'aide pour la pose des plafonds.

2 Placez une éponge dans une casquette pour vous aider à soutenir les panneaux au plafond avec votre tête.

3 Fabriquez un échafaudage avec des chevalets et des madriers à une hauteur suffisante pour vous permettre d'appuyer votre tête contre les solives. Retenez les panneaux avec votre tête pendant le clouage.

4 Appliquez un bourrelet de colle sous les solives. Retenez le panneau avec votre tête pendant que vous enfoncez les clous.

Installer les panneaux muraux

1 Fixez les panneaux avec de la colle et des vis. Appliquez la colle avec un pistolet à calfeutrer. Aux joints, faites un bourrelet sinueux pour que les deux panneaux y adhèrent.

2 Installez les panneaux verticalement pour éviter de les abouter; la finition en sera facilitée. Soulevez les panneaux avec un levier et vissez-les en place.

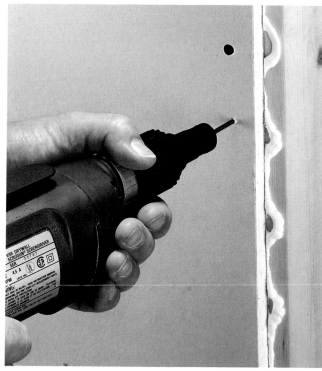

3 Enfoncez des vis de 1 1/4" dans les montants avec un tournevis électrique. Espacez-les selon les recommandations du fabricant.

4 Planifiez la pose des panneaux de façon à éviter les joints dans les coins des portes et des fenêtres; souvent ces joints s'ouvrent sous la pression exercée par les cadres.

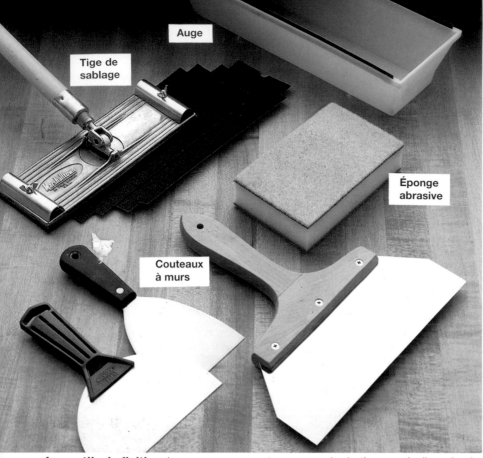

Tige de sablage

Auge

Éponge abrasive

Couteaux à murs

Finir le placoplâtre

Pour la finition des panneaux de placoplâtre, enduisez de pâte à joints tous les joints, les coins, les trous de vis et de clous. Parce qu'elle rétrécit au séchage, il est nécessaire d'appliquer trois couches de pâte pour compenser ce rétrécissement. Utilisez un couteau à murs de 4" à 6" pour la première couche et laissez-la sécher complètement. Appliquez les deux dernières couches avec un couteau de 10" ou une truelle.

Les joints doivent être renforcés afin d'empêcher tout craquement. Sur les coins extérieurs, il faut clouer des coins de métal sur le placoplâtre avant d'appliquer la pâte. Dans les coins intérieurs et sur les joints plats, appliquez une légère couche de pâte et posez du ruban de papier~joints dans la pâte humide.

Les outils de finition des murs comprennent : une auge de plastique munie d'un rebord métallique, une éponge abrasive pour adoucir les joints sans faire de poussière, des couteaux à murs de 4", 6", et 10", une tige de sablage pour les joints en hauteur.

Truc : faites un sablage humide des joints au lieu d'utiliser du papier abrasif; vous éliminerez la poussière.

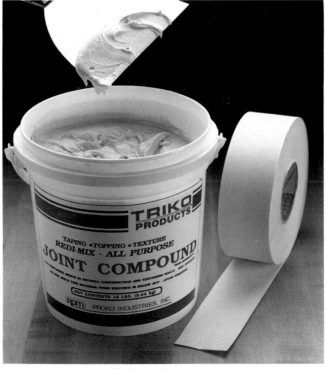

Utilisez une pâte prémélangée pour la plupart des travaux de jointoiement et de finition. Employez du ruban de papier avec ce type de composé.

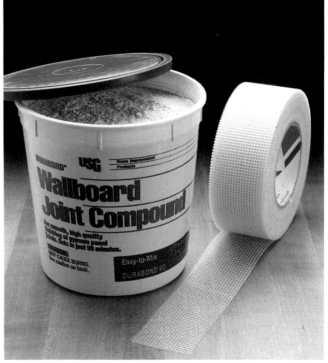

Pour les petites réparations, utilisez un composé séchant rapidement et mélangez-le avec de l'eau. La pâte sèche en une heure ou deux. Utilisez du ruban de fibre de verre avec ce composé.

Tirer les joints

1 Avec un couteau de 4" ou 6" enduit de pâte à joints, appliquez une mince couche de pâte sur le joint.

2 Pressez le ruban en le centrant sur le joint humide. Enlevez l'excédent de pâte et adoucissez le joint avec un couteau de 6". Laissez sécher.

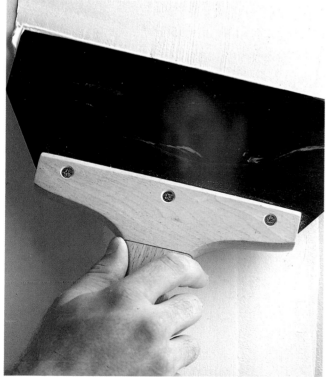

3 Appliquez deux couches fines de finition avec un couteau de 10" ou une truelle. Laissez sécher une nuit entre les deux premières couches et légèrement après l'application de la dernière couche, avant d'entreprendre le ponçage humide.

4 Adoucissez la couche de finition avec une éponge abrasive avant que la pâte ne soit complètement sèche. Le ponçage humide ne produit pas de poussière.

Finir les coins intérieurs

1 Pliez une longueur de ruban à joints en deux en le tenant entre le pouce et l'index.

2 Appliquez une légère couche de pâte sur les deux arêtes du coin avec un couteau de 4".

3 Appuyez le ruban dans la pâte humide et pressez-le avec le couteau pour adoucir les côtés.

4 Appliquez la deuxième couche de pâte sur un côté à la fois. Lorsqu'elle est sèche, répétez l'opération sur l'autre côté. Appliquez ensuite la couche de finition et poncez la surface.

Finir les coins extérieurs

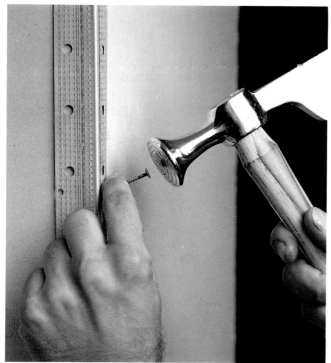

1 Placez le coin de métal et ajustez-le avec un niveau pour qu'il soit d'aplomb. Clouez-le avec des clous annelés aux 8".

2 Couvrez le coin de métal de trois couches de pâte à joints avec un couteau de 6" ou de 10". Laissez chaque couche sécher et rétrécir avant d'appliquer la couche suivante. Adoucissez la dernière par un ponçage humide.

Couvrir les clous et les vis

Couvrez les trous de vis et de clous de trois couches de pâte à joints avec un couteau à murs de 4". Laissez sécher une nuit entre chaque couche.

Poncer les joints

Poncez légèrement les joints lorsque la pâte est sèche. Utilisez une tige de sablage quand les joints sont hors de portée. Portez un masque antiparticules lors du ponçage à sec.

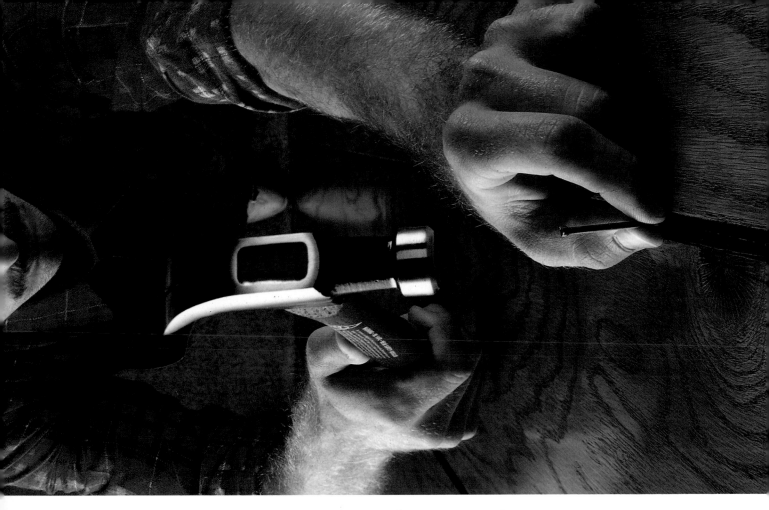

Poser des panneaux

Les panneaux muraux sont un matériau offrant de nombreuses possibilités. Ils sont vendus dans un choix varié de styles, de couleurs et de prix. Les panneaux de bois offrent une alternative attrayante à la peinture et au papier peint. De plus, ils représentent une solution économique pour recouvrir un mur de placoplâtre endommagé. Ils sont vendus en feuilles de 4 x 8 de 3/16" ou de 1/4" d'épaisseur, et ils sont prévernis ou non finis.

Les panneaux muraux sont souvent utilisés pour le lambrissage des salles à manger ou de séjour.

Ce dont vous avez besoin :

Outils et matériaux : barre-levier, détecteur de montants, ruban à mesurer, fil à plomb, panneaux muraux, scie circulaire, règle, marteau, clous à finir de 4d, niveau de menuisier, compas, scie sauteuse, teinture pour bois, pistolet à calfeutrer, adhésif à panneaux, craie en poudre.

Truc : les coins sont souvent irréguliers, rendant l'ajustement des panneaux difficile. Tracez le contour du mur irrégulier sur le panneau et découpez-le en suivant le tracé; la tâche sera plus facile.

Couper et poser des panneaux

1 Enlevez toutes les moulures des murs, des cadres de portes et de fenêtres. Placez un bloc de bois sous la barre-levier pour ne pas endommager les surfaces.

102

2 À l'aide d'un détecteur de montants, trouvez le montant le plus éloigné de l'entrée et celui qui en est le plus près, mais à moins de 48" du coin. Marquez les montants aux 48 pouces.

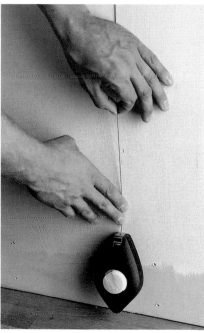

3 Tirez une ligne de craie sur les montants avec un fil à plomb. Les joints des panneaux devront suivre ces lignes.

Règle

4 Placez la première feuille face en bas. Mesurez la distance du coin jusqu'à la première ligne verticale que vous avez tracée et ajoutez 1" pour ajuster le contour. Coupez la feuille avec une scie circulaire en vous servant d'une règle comme guide.

5 Placez la feuille dans le coin du mur en laissant 1" d'espace de ce côté. Assurez-vous que le panneau est bien d'aplomb. Fixez-le temporairement au mur.

6 Écartez les pointes du compas à 1 1/4". La pointe suivant le mur et le crayon appuyé au panneau, glissez le compas vers le bas du panneau; les irrégularités du mur seront ainsi dessinées. Ensuite, enlevez le panneau.

7 Placez le panneau face en haut et coupez-le le long de la ligne avec une scie sauteuse. Pour empêcher l'éclatement du bois, utilisez une lame à dents fines.

Installer des panneaux

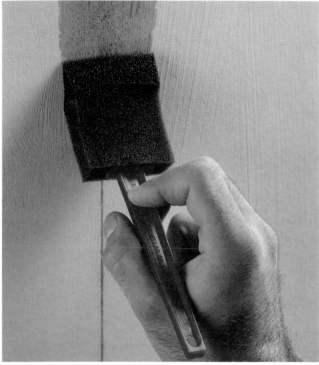

1 Appliquez une couche de teinture sur la ligne de craie pour éviter qu'un écartement des panneaux ne laisse entrevoir le mur. Choisissez une teinture semblable à la couleur des panneaux.

2 Avec un pistolet à calfeutrer, appliquez des bourrelets de colle d'environ 1" de long, aux 6" et à 1" de chaque côté de la ligne afin d'éviter les débordements de colle. Dans les nouvelles constructions, appliquez la colle directement sur les montants.

3 Fixez le panneau au plafond en enfonçant des clous à finir de 4d à tous les 16". Appuyez le panneau au mur, puis retirez-le. Attendez environ deux minutes avant de l'appuyer de nouveau.

4 Fixez les autres panneaux en laissant un léger espace pour permettre l'expansion occasionnée par l'humidité. Une pièce de dix sous est un bon gabarit.

Pratiquer des ouvertures dans les panneaux

1 Mesurez les dimensions des portes et des fenêtres et tracez leur contour à l'endos des panneaux.

2 Enduisez de craie ou de rouge à lèvres les rebords des boites électriques et des conduits de ventilation.

3 Appuyez le dos du panneau au mur; les marques seront ainsi transférées sur le panneau.

4 Placez le panneau à l'envers. Percez un trou dans un coin de chacun des contours. Découpez le panneau avec une scie sauteuse.

Chaperon

Couronne

Plinthe
coloniale

Appui-
chaise

Base

Latte

Arrêt
colonial

Arrêt
de porte

Angle
extérieur

Angle
intérieur

Arrêt

Quart-
de-rond

Boiseries et moulures

Les outils indispensables au travail des boiseries et des
moulures comprennent avant tout un crayon bien aiguisé,
une scie bien affûtée et une bonne boite à onglets. Ces
outils vous permettront de marquer et de couper des angles
précis. La menuiserie de finition exige des joints
parfaitement ajustés, car ils sont très visibles. Il faut donc
acheter ou louer des outils de bonne qualité.

    La technique de la pose des moulures est illustrée
dans ce chapitre. Avec un peu d'expérience, vous
parviendrez à combiner plusieurs formes, créant ainsi des
moulures originales.

Ce dont vous avez besoin :

Outils et matériaux : crayon aiguisé, ruban à mesurer,
toupie et mèches, boite à onglets, scie à chantourner, moulures
de bois, clous à finir, chasse-clou.

Ajuster les boiseries

La boîte à onglets et la scie à dos sont utilisées pour
couper des angles précis dans le bois de finition, comme les
chambranles de fenêtres et de portes.

Couper les onglets

Coupez les chambranles à 45° en plaçant le côté plat sur la base horizontale de la boîte à onglets. Quant aux moulures de plinthes, elles seront appuyées sur le côté vertical.

Côté mur

Côté plafond

Coupez les couronnes en appuyant le côté plafond de la moulure sur la base horizontale de la boîte à onglets. Le côté mur sera placé contre le côté vertical.

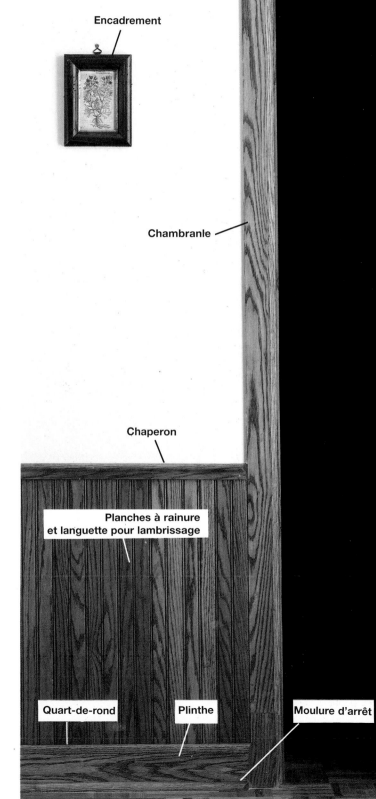

Couronne

Encadrement

Chambranle

Chaperon

Planches à rainure
et languette pour lambrissage

Quart-de-rond

Plinthe

Moulure d'arrêt

Couper et ajuster les moulures

1 Dans les coins intérieurs, aboutez une des moulures au coin. À l'arrière de la moulure adjacente, tracez le profil de la plinthe au crayon.

2 Avec une scie à chantourner, découpez le long du tracé. Maintenez la plinthe dans un étau et tenez la scie perpendiculairement à la moulure.

3 Placez les pièces dans le coin. La moulure chantournée s'ajuste de près à celle qui est aboutée.

4 Joignez les coins extérieurs en pratiquant des onglets opposés à l'extrémité des moulures. Fixez-les avec des clous à finir que vous enfoncerez avec un chasse-clou.

5 Pour les longues portées, assemblez les pièces avec des onglets parallèles; le joint n'ouvrira pas si le bois rétrécit.

Combiner les boiseries

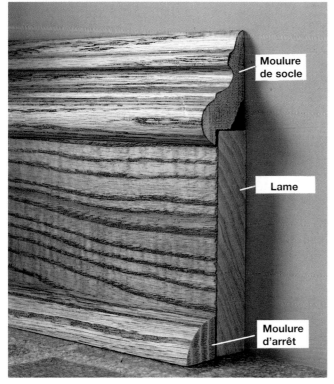

La plinthe composée comprend une moulure de socle, une plinthe plate et une moulure d'arrêt. Clouez horizontalement dans les montants de charpente. Ne clouez pas dans le plancher.

La couronne décorative combine deux moulures. Une pièce de bois carrée offre une surface de clouage aux deux boiseries.

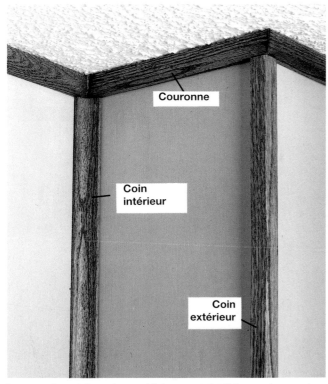

Les moulures de coins extérieurs et intérieurs ajoutent de l'élégance à une pièce. Elles sont souvent complétées par une couronne ou une doucine qui longe le plafond.

Le chaperon, ou capuchon, est utilisé comme arrêt de chaise au haut d'un mur lambrissé.

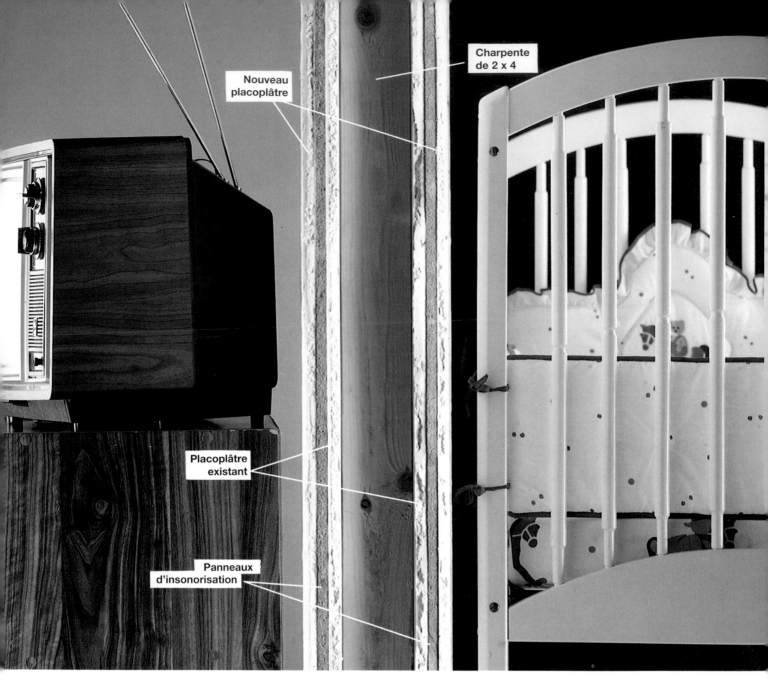

Charpente
de 2 x 4

Nouveau
placoplâtre

Placoplâtre
existant

Panneaux
d'insonorisation

Insonoriser les murs et les plafonds

La meilleure façon d'insonoriser une pièce est d'utiliser les matériaux et les méthodes de construction spécialisés lorsqu'il est possible d'atteindre la charpente. Les murs existants peuvent être insonorisés en leur ajoutant des revêtements spéciaux, comme les panneaux Sound Stop®, ou des feuilles de gypse fixées sur des fourrures élastiques. Ces méthodes forment des murs absorbants qui empêchent la transmission du bruit.

Les murs et les plafonds sont classés selon un indice de transmission du son (ITS). Plus l'ITS est élevé, plus l'isolation acoustique est efficace. Par exemple, si un mur a un ITS de 30 à 35, une conversation à voix haute traversera le mur. À 42, la conversation sera réduite à un murmure et à 50,

elle ne s'entendra pas. Un ITS de 32 résultera de l'emploi de méthodes de construction standards. Des murs et des plafonds insonorisés porteront l'ITS jusqu'à 48.

Ce dont vous avez besoin :

Outils et matériaux pour nouveaux murs : sablière et lisse de 2 x 6, natte de fibre de verre isolante.

Outils et matériaux pour murs existants : panneaux Sound Stop®, fourrures élastiques, panneaux de placoplâtre de 5/8".

Truc : lorsque vous montez une nouvelle cloison, calfeutrez le long du plancher et du plafond pour réduire la transmission du son.

Construire des planchers et des plafonds standards et insonorisés

Une construction standard, comprenant un sous-plancher de bois recouvert de contreplaqué et du placoplâtre de 1/2" au plafond, comporte un ITS de 32.

Une construction insonorisée comporte un tapis et un sous-tapis, une natte de fibre de verre, des fourrures élastiques clouées aux solives et un recouvrement de placoplâtre de 5/8" au plafond. L'indice de transmission du son de ce système se situe à 48.

Insonoriser une nouvelle cloison

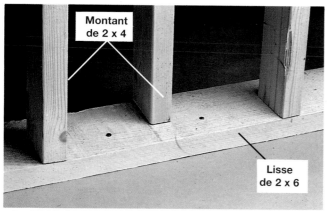

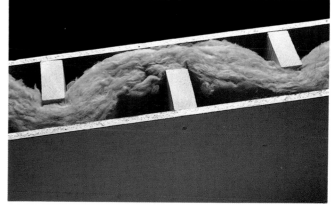

1 Construisez le mur avec une sablière et une lisse de 2 x 6. Disposez les montants en chicane aux 12", de part et d'autre de la cloison.

2 Faites onduler une natte de fibre de verre de 3 1/2" entre les montants tout le long du mur. Une fois recouvert de placoplâtre de 1/2", ce mur offrira un ITS de 48.

Insonoriser des murs et des plafonds existants

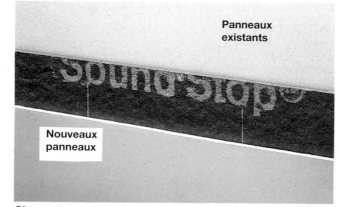

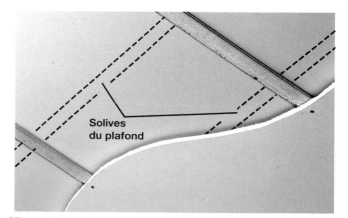

Clouez des panneaux Sound Stop® de 1/2" sur le revêtement existant avec des clous de 1 1/2". Collez un placoplâtre de 1/2" sur les panneaux avec de l'adhésif de construction. L'ITS obtenu sera alors de 46.

Vissez des fourrures élastiques au mur ou au plafond, espacées de 24" centre à centre et perpendiculaires à la charpente. Fixez du placoplâtre de 5/8" aux fourrures avec des vis de 1". L'indice ITS atteindra 44.

1 Déballez la porte et inspectez-la. Les moulures d'un de ses côtés sont fixées et soutenues par celles qui sont destinées à l'autre côté.

Installer une porte préassemblée

L'ensemble de porte comprend la porte, les jambages et le chambranle. Les charnières sont déjà installées et les trous sont percés pour recevoir la serrure. Le travail de pose est réduit à deux tâches mettre l'ensemble d'aplomb et bien centré dans l'encadrement, et le fixer à l'aide de cales et de clous pour que la porte pivote convenablement.

Ce dont vous avez besoin :

Outils et matériaux : Wonderbar®, niveau de menuisier, cales de cèdre, marteau, clous à finir de 4d et de 6d, chasse-clou, égoïne.

Truc : si la porte doit recevoir une finition, la peindre ou la teindre en même temps que l'installation.

4 L'espace entre les jambages et les montants doit être comblé à la hauteur des charnières et de la serrure avec des cales. Attachez les jambages aux montants avec des clous à finir de 6d enfoncés vis-à-vis des cales.

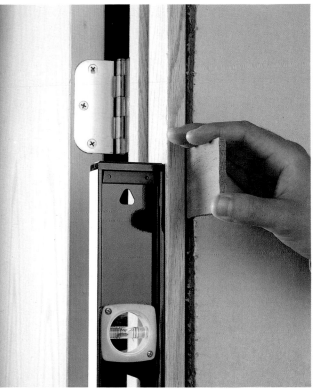

2 Placez l'ensemble dans l'ouverture. Vérifiez-en l'aplomb avec un niveau de menuisier.

3 Pour mettre la porte d'aplomb, insérez des cales entre les montants secondaires et le jambage du côté des charnières. Enfoncez les cales jusqu'à ce que la porte soit droite.

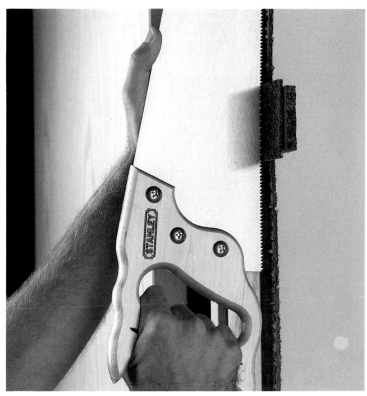

5 Coupez l'excédent des cales avec une égoïne tenue à la verticale pour ne pas endommager les jambages ni le mur.

6 Clouez les moulures aux jambages avec des clous à finir de 4d aux 16". Enfoncez les têtes avec un chasse-clou.

Raccourcir une porte creuse

La taille des portes préassemblées offre un jeu de 3/4" entre le bas de la porte et le plancher. Cet espacement permet à la porte de pivoter sans frotter sur le tapis ou le recouvrement de sol. Si un tapis est épais ou que le seuil est gros, vous devrez peut-être raccourcir légèrement la porte avec une scie circulaire.

Une coupe plus importante peut parfois être nécessaire lors d'une installation spéciale, comme dans une chambre d'enfant ou pour un petit placard.

Les portes creuses ont un centre vide et un cadre solide. Si la partie inférieure du cadre doit être enlevée, elle pourra être replacée pour refermer la cavité de la porte.

Ce dont vous avez besoin :

Outils et matériaux : ruban à mesurer, marteau, tournevis, couteau, chevalets, scie circulaire et règle, ciseau, colle à bois, serres.

Truc : mesurez avec précision avant de tracer les marques de coupe. Mesurez à partir du dessus du tapis, non du plancher.

Couper une porte creuse

1 La porte étant en place, mesurez 3/8" à partir du dessus du tapis et marquez-la. Enlevez la porte en retirant les tiges des charnières.

2 Tracez la ligne de coupe. Pour empêcher le placage d'éclater lors de la coupe, coupez-le avec un couteau bien affûté.

3 Deposez la porte sur les chevalets. Installez un guide de coupe avec des serres.

4 Sciez le bas de la porte. La partie creuse de la porte peut être apparente.

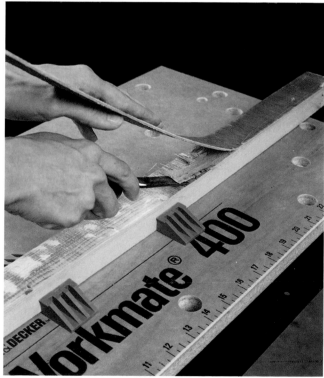

5 Pour replacer la base du cadre, enlevez le placage avec un ciseau à bois des deux côtés de la découpe.

6 Appliquez de la colle à bois sur le morceau de cadre. Glissez-le dans le bas de la porte et installez des serres. Essuyez l'excès de colle et laissez sécher durant la nuit.

Installer un verrou de sécurité

Installer un verrou de sécurité

Les verrous de sécurité possèdent un long pêne qui pénétre dans le jambage. On l'appelle aussi verrou à pêne dormant. Le mécanisme est généralement actionné par une clé.

Les verrous de sécurité aident à prévenir les intrusions. Certaines compagnies d'assurances encouragent leur installation sur les portes extérieures.

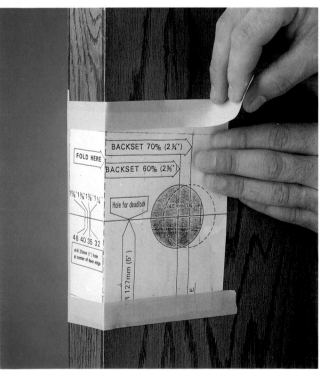

Ce dont vous avez besoin :

Outils et matériaux : ruban à mesurer, verrou de sécurité, ensemble de perçage (emporte-pièce et mèche à bois), perceuse, ciseau.

Truc : une serrure **à pêne dormant** à double cylindre est actionnée par une clé des deux côtés. C'est le choix idéal pour les portes vitrées; les serrures à boutons pouvant être actionnées à travers une vitre brisée.

1 Mesurez pour déterminer l'emplacement de la serrure. Collez sur la porte le patron fourni avec le dispositif. Utilisez un clou ou une alène pour marquer, sur la porte, le centre des trous du cylindre et du verrou.

2 Creusez le trou du cylindre avec un emporte-pièce et une perceuse. Pour empêcher l'éclatement de la surface, percez d'un côté et de l'autre.

3 Utilisez une mèche à bois pour percer le trou du verrou à partir du champ jusqu'au trou du cylindre. Assurez-vous de garder la mèche perpendiculaire au champ.

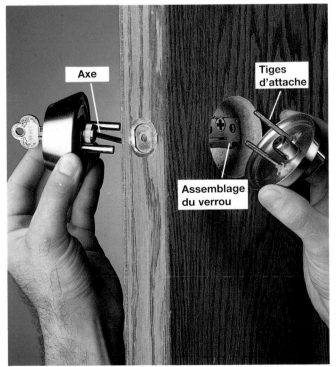

4 Insérez le verrou dans son trou, puis l'axe et les tiges d'attache à travers le verrou et vissez les cylindres ensemble. Fermez la porte et déterminez l'endroit où le pêne touche le jambage.

5 À l'aide d'un ciseau, faites une mortaise pour recevoir la gâche. Creusez le trou du pêne au centre de la mortaise avec une mèche à bois. Installez la gâche.

Preserver et réparer le bois

Même les bois durables, comme le séquoia et le cèdre, sont traités d'une couche de teinture ou de peinture préservatrice. Inspectez régulièrement les portes extérieures, les rebords des fenêtres et les patios afin de vous assurer que les insectes et la pourriture ne les ont pas endommagés irrémédiablement. Scellez les joints autour des portes et des fenêtres pour empêcher les insectes et l'humidité d'y pénétrer.

Pour réparer le bois, utilisez la pâte de bois à base d'époxyde offerte sur le marché. Cette pâte peut être moulée et modelée facilement et elle peut être teinte ou peinte.

Ce dont vous avez besoin :

Outils et matériaux : ciseau, lunettes de sécurité, pâte de bois, couteau à mastic, ponceuse, languettes de bois, marteau de tapissier.

Protégez le bois exposé aux intempéries d'une couche préservatrice transparente ou pigmentée. Traitez le bois annuellement pour en augmenter la protection.

Réparez le bois endommagé avec de la pâte de bois à base dépoxyde.

Réparer le bois endommagé

1 Nettoyez le bois endommagé avec un ciseau ou un couteau. Portez des lunettes de sécurité.

2 Construisez une forme simple pour la réparation des rebords. Enduisez-la de cire ou d'huile pour empêcher la pâte d'y adhérer.

3 Mélangez et appliquez la pâte en suivant le mode d'emploi. Modelez la surface avec un couteau à mastic ou une truelle pour rejoindre les contours existants. Laissez durcir la pâte complètement.

4 Enlevez les formes. Poncez légèrement la surface durcie; un ponçage appuyé ouvre les pores et rend l'application de teinture difficile. Peinturez ou teignez le bois dans des teintes mariant celles de la pièce.

Enlever et remplacer une porte d'entrée

Remplacer une porte gauchie et qui n'est plus étanche est un projet relativement facile. Les nouvelles portes d'entrée ont une efficacité énergétique supérieure aux anciennes. Préassemblées dans leurs jambages, elles sont vendues avec toute la quincaillerie nécessaire à leur installation, à l'exception des serrures. Les portes de remplacement en métal ne gauchissent pas et n'écaillent pas. En outre, elles sont isolées et calfeutrées. Elles procurent également plus de sécurité que les portes de bois.

Ce dont vous avez besoin :

Outils et matériaux : ruban à mesurer, marteau, tournevis, Wonderbar®, couteau, calfeutrant de silicone, pistolet à calfeutrer, cales de bois, niveau de menuisier, clous galvanisés de 16d, serrure de porte.

Enlever et remplacer une porte d'entrée

1 Mesurez la hauteur et la largeur de la porte existante et achetez une porte de la même dimension. Enlevez les tiges des charnières et retirez la porte.

2 Avec une barre-levier et un marteau, enlevez soigneusement les moulures intérieures. Rangez-les; elles serviront autour de la nouvelle porte.

Moulure extérieure

3 Utilisez un couteau pour couper le vieux calfeutrant entre le parement et les moulures extérieures.

4 Enlevez les vieux jambages et le seuil. Les clous récalcitrants peuvent être coupés avec une scie alternative ou un ciseau à froid.

Enlever et remplacer une porte d'entrée (suite)

5 Placez la nouvelle porte dans l'ouverture. Vérifiez-en l'ajustement; il devrait y avoir un espace de 3/8" sur les côtés et le dessus. Enlevez la porte.

6 Appliquez de la pâte à calfeutrer sous le seuil pour l'isoler du plancher. Placez la porte dans l'ouverture.

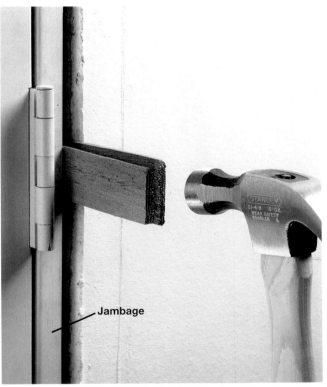

Jambage

7 Enfoncez des cales entre les jambages et l'ouverture jusqu'à ce que la porte soit d'aplomb. Placez des cales devant les charnières et la serrure.

8 Clouez au travers des jambages et des cales avec des clous galvanisés de 16d. Vérifiez l'aplomb après la pose de chaque clou.

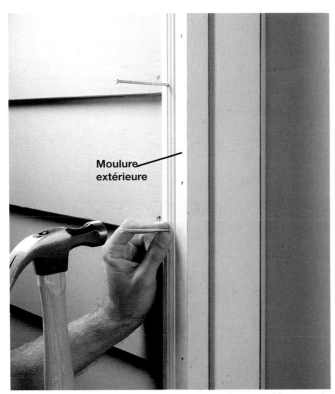

Moulure
extérieure

9 Enfoncez des clous de 16d dans les moulures extérieures et le cadre de porte.

10 Replacez les moulures intérieures. Si elles ont été endommagées, remplacez-les.

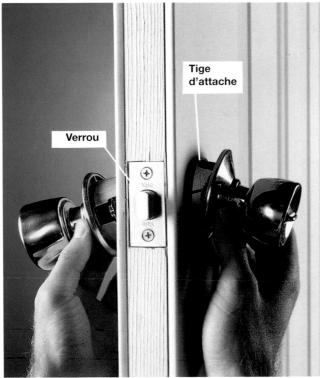

Tige
d'attache

Verrou

11 Installez la nouvelle serrure. D'abord, placez l'assemblage du verrou. Ensuite, installez la boite du cylindre et vissez les poignées ensemble en resserrant les tiges d'attache.

12 Vissez la gâche au jambage de la porte et ajustez-la afin qu'elle reçoive correctement le verrou. Calfeutrez tous les interstices entre le parement et les moulures de la nouvelle porte.

Index

Conversion au système impérial

Kilogramme (kg)	Livres	2,20
Litre (L)	Gallon impérial	0,21
Litre (L)	Gallon américain	0,264
Mètres (m)	Pieds	3,28
Mètre (m)	Verge	1,09
Mètres carrés (m²)	Pieds carrés	10,76
Mètre carré (m²)	Verge carrée	1,195
Mètres cubes (m³)	Pieds cubes	35,31
Millimètre (mm)	Pouce	0,039

Pour convertir des degrés Celsius (C) en degrés Fahrenheit
multipliez par : $(1,8 \times C) + 32$

Conversion au système métrique

Livre (lb)	Kilogramme	0,45
Verge (vg)	Mètre	0,914
Verge carrée (vg²)	Mètre carré	0,836
Verge cube (vg³)	Mètre cube	0,76
Pied (pi)	Mètre	0,30
Pied carré (pi²)	Mètre carré	0,093
Pied cube (pi³)	Mètre cube	0,028
Pouces (po)	Millimètres	25,40

Pour convertir des degrés Fahrenheit (F) en degrés Celsius
multipliez par : $(F-32) \times 0,555$

Calibre des fils électriques

Calibre n°	Capacité et utilisation
6	60 ampères, 240 volts : fournaises et climatiseur central
8	40 ampères, 240 volts : cuisinière électrique, climatiseur central
10	30 ampères, 240 volts : climatiseur de fenêtre, sécheuse
12	20 ampères, 120 volts : lampes, prises, four à micro-ondes
14	15 ampères, 120 volts : lampes, prises
16	Rallonges électriques pour appareils légers
18 à 22	Thermostats, carillons, système antivol

NOTE : plus le numéro du fil est petit, plus le fil est gros.

Couleur des fils électriques

Couleur	Fonction
Blanc	Fil neutre transportant le courant sans voltage
Noir ou rouge	Fil vivant (thermique) transportant le courant plein voltage
Blanc, marques noires	Fil vivant (thermique) transportant le courant plein voltage
Vert	Fil de mise à la terre
Cuivre dénudé	Fil de mise à la terre

Les clous

CLOUS COMMUNS

Numéro	Longueur	Quantité par lb
2	1"	845
3	1 1/4"	542
4	1 1/2"	290
5	1 3/4"	250
6	2"	165
7	2 1/4"	150
8	2 1/2"	100
9	2 3/4"	90
10	3"	65
12	3 1/4"	60
16	3 1/2"	45
20	4"	30

CLOUS DE FINITION

Numéro	Longueur	Quantité par lb
3	1 1/4"	880
4	1 1/2"	630
6	2"	290
8	2 1/2"	195
10	3"	125

CLOUS À BOISERIES

Numéro	Longueur	Quantité par lb
4	1 1/2"	490
6	2"	245
8	2 1/2"	145
10	3"	95
16	3 1/2"	70

Dimensions nominales et réelles

Nominales	Réelles
1" x 4"	3/4" x 3 1/2"
1" x 6"	3/4" x 5 1/2"
1" x 8"	3/4" x 7 1/2"
2" x 4"	1 1/2" x 3 1/2"
2" x 6"	1 1/2" x 5 1/2"
2" x 8"	1 1/2" x 7 1/2"